ARTE ABSTRACTO ESPAÑOL
en la colección de la
Fundación Juan March

ARTE ABSTRACTO ESPAÑOL

EN LA COLECCIÓN DE LA
Fundación Juan March

Comentarios de JULIÁN GÁLLEGO

FUNDACIÓN JUAN MARCH
Castelló 77 - Madrid-6

Cubierta:
Museo de Arte Abstracto Español de Cuenca
(interior)
Fotografía: Gustavo Torner

Fotografías: G. Torner y J. M. Pérez Madero
Fotomecánica: Cromoarte y DIA
Fotocomposición e impresión: Julio Soto
Av. de la Constitución, 202
Torrejón de Ardoz, Madrid
ISBN: 84-7075-276-6
Depósito Legal: M-17225-1983
Diseño: Diego Lara

Sumario

INTRODUCCIÓN .... [7]
ÍNDICE DE AUTORES Y OBRAS COMENTADAS .... [13]
BIBLIOGRAFÍA .... [157]
ÍNDICE ONOMÁSTICO .... [161]

Casas colgadas
Cuenca

La colección de Arte Español Contemporáneo de la Fundación Juan March ha ido incrementando sus fondos a lo largo del tiempo. La actividad de difusión artística que la Fundación viene desarrollando en toda España requería, en efecto, que aquéllos fueran cada vez más numerosos en bien de sus distintas exposiciones, tanto estables como itinerantes. Este proceso de ampliación se vio impulsado cuando en el año 1980 Fernando Zóbel, creador del Museo de Arte Abstracto de Cuenca, donó a la Fundación Juan March las obras que integraban su Museo, que constituían en conjunto una valiosísima muestra de la abstracción plástica española. Desde entonces, la Fundación ha pasado a poseer una excelente colección de Arte Español Contemporáneo que, aún comprendiendo fondos de diversos estilos y tendencias, contiene preferentemente obras de arte abstracto, dada la especialización que Zóbel había dado al Museo de Cuenca.

La labor de catalogación, exhibición e incremento de todos estos fondos necesitaba ser completada con una publicación que diera noticia de sus obras más destacadas y representativas. Esa es la finalidad de este libro, en el que la Fundación quiere reflejar la parte más característica de su colección de abstractos españoles, mediante una selección de autores y obras que tienen como denominador común su intención no figurativa en un sentido amplio que abarca toda la gama abstracta, desde el constructivismo más racional hasta el informalismo más espontáneo.

La selección se ha efectuado eligiendo las obras más conocidas o de calidad más sobresaliente, sin intentar ofrecer una representación exhaustiva de los artistas abstractos españoles o una selección histórico-didáctica de los mismos. No obstante, el conjunto de obras y autores que se reseñan en el libro puede dar fe de la diversidad de manifestaciones que caracteriza al arte abstracto español y de la gran vitalidad que ese movimiento ha alcanzado en España en estos años. El período sobre el que se ha operado (1957-1982) es, a su vez, lo suficientemente amplio como para ofrecer un testimonio válido de un movimiento artístico sostenido en el tiempo y plural en sus diferentes estilos y tendencias.

Las nuevas formas de creación artística encontraron en España a partir de 1948, en que nace en Barcelona el grupo *Dau al Set,* una notable capacidad de captación de jóvenes pintores y escultores. Tras el conjunto catalán, el grupo *El Paso* de Madrid (1957), diversos movimientos artísticos en otras capitales y, en términos generales, la obra independiente y renovadora de tantos y tantos creadores plásticos en los años cincuenta, significaron la incorporación a España de un arte cosmopolita y liberador, signo a la vez de afirmación y de protesta de una generación de artistas que dieron pruebas de una fuerza expresiva y de un impulso estético de gran belleza y originalidad, en abierta ruptura con los cerrados moldes culturales de entonces. La Fundación Juan March quiere también con la publicación de este libro rendir homenaje a todos los componentes de aquella generación de artistas (la llamada *generación de los años cincuenta),* en la que figuran muchos nombres eminentes del arte de nuestro tiempo.

Este libro se dirige a un lector no necesariamente especializado ni familiarizado con el arte abstracto. Por ello, al centrar su atención sobre las diversas obras que en él se reproducen trata de ayudar a comprender sus posibles significados y las posibles motivaciones o intenciones de los artistas que las crearon.

Museo de Arte Abstracto Español de Cuenca
◁ (interiores) ▷

La presentación y distribución de las obras no persigue criterio de clasificación estética, ni siquiera de cronología estricta, sino que busca, simplemente, ofrecer un libro atractivo, de fácil uso y lectura. Intencionadamente se ha pretendido también que el contenido de los comentarios resulte asequible a través de un lenguaje sencillo y de unos procedimientos explicativos directos.

Todas las obras que figuran en esta selección están normalmente expuestas al público, ya sea en la sede de la Fundación Juan March, ya en su colección itinerante, ya en el Museo de Arte Abstracto de Cuenca. Desde que en 1975 la Fundación inauguró su nueva sede en Madrid, lugar que se ha convertido en estos años en un activo centro cultural, ha desarrollado en ella una política de exposiciones en la que con frecuencia ha sido protagonista el arte abstracto. El interés que el público ha mostrado ante este tipo de exposiciones se ha hecho visible también en muchas otras localidades, en las que ha sido expuesta la colección itinerante de Arte Español Contemporáneo de la propia Fundación, la mayoría de cuyas obras son de carácter abstracto. Su aplaudida presencia en muchas capitales da fe de la facilidad con que sus autores comunican con el conjunto de nuestra población a través de sus cuadros y esculturas.

Pero es sobre todo en el Museo de Arte Abstracto de Cuenca, inaugurado en el año 1966, donde el arte no figurativo alcanza en España su mayor esplendor. Como ha escrito el director del Museo, Pablo López de Osaba, el Museo de Cuenca *es de los pocos Museos del mundo pensado y realizado por artistas; la máxima atención de los realizadores se fijó y se sigue fijando primeramente en los cuadros.* Instalado en las famosas Casas Colgadas, sus creadores consiguieron hacer del Museo un prodigio de sensibilidad en cuyo recinto la mayoría de las obras de arte de que da cuenta este libro alcanza su mayor expresividad.

◁ Sede de la Fundación Juan March
Madrid

Museo de Arte Abstracto Español de Cuenca
(interior) ▷

Tanto en la concepción del Museo como en la preparación de este libro, son de cita indispensable los nombres de Fernando Zóbel y Gustavo Torner. La Fundación Juan March se honra en contar entre sus consejeros y colaboradores a personalidades tan destacadas en el panorama cultural español como son estos dos relevantes artistas.

Hay que anotar igualmente que los comentarios que acompañan a cada una de las reproducciones que figuran en este libro han sido redactados por otro significado miembro de la comunidad artística española, el profesor Julián Gállego, crítico e historiador del arte contemporáneo. Su trabajo de comentarista constituye todo un curso abreviado sobre el arte abstracto español y una invitación al lector para continuar por cuenta propia nuevas pesquisas e indagaciones.

Al presentar este libro al público la Fundación Juan March no desea sino proporcionar al español de hoy un medio más para el mejor entendimiento de un arte que corresponde plenamente a su tiempo.

Madrid, mayo 1983

Indice de autores y obras comentadas

BERROCAL, Miguel
Almudena, **135**

CAMPANO, Miguel Angel
Sin título, **137**

CANOGAR, Rafael
Toledo, **36**

CUIXART, Modest
Gran Barroco, **40**

CHILLIDA, Eduardo
Abesti Gogora, **14**
Le Chemin des Devins, **66**
Lugar de Encuentros, **125**

CHIRINO, Martín
El Viento, **82**

DELGADO, Gerardo
Triple Colgado, **152**

FARRERAS, Francisco
Número 183, **62**

FEITO, Luis
Número 148, **33**
Número 363, **54**
Número 460-A, **90**
Número 1077, **128**

GORDILLO, Luis
Tríptico (5 x 5 – 1), **146**

GUERRERO, José
Intervalos Azules, **72**
Creciente Amarillo, **101**
Cruce, **126**

GUINOVART, Josep
Sin título, **64**

HERNÁNDEZ PIJUÁN, Joan
Horizontal, **130**
Proyectos para un Paisaje, **155**

LORENZO, Antonio
Número 326, **38**
Número 396, **79**

MANRIQUE, César
Pintura número 100, **71**

MIGNONI, Fernando
Ambitos de Luz, **132**

MILLARES, Manuel
Cuadro número 2, **16**
Sarcófago para Felipe II, **48**
Galería de la Mina, **93**
Antropofauna, **111**

MOMPÓ, Manuel H.
Campesinos Mirando, **42**
Maternidad, **60**
Semana Santa en Cuenca, **96**
Estelas en un Paisaje, **144**

MUÑOZ, Lucio
Estructura Verde y Negra, **24**
La Ventana, **80**

OTEIZA, Jorge de
Homenaje a las Meninas, **35**

PALAZUELO, Pablo
Omphalo V, **23**
Lunariae, **86**
Noir Central, **109**
Proyecto para un Monumento, **142**

RIVERA, Manuel
Metamorfosis, **44**
Espejo del Sol, **84**
Espejo del Duende, **106**

RUEDA, Gerardo
Athos, **52**
Gran Pintura Blanca, **88**
Sin título, **112**
Conferencia, **139**

SAURA, Antonio
Brigitte Bardot, **20**
Cocktail Party, **58**
Geraldine Chaplin, **98**
Quevedo, Trois Visions, **114**

SEMPERE, Eusebio
Estanque 2, **18**
El Romance de cuando estuvo en Cuenca
D. Luis de Góngora y Argote, **103**
Tres Columnas, **118**
Horizonte, **140**

SERRANO, Pablo
Bóveda para el Hombre, **50**
Bóveda, **94**

TÀPIES, Antoni
Marrón y Ocre, **31**
Grande Équerre, **56**
El Pa a la Barca, **74**
Le Linge, **116**

TEIXIDOR, Jorge
Pintura Rosa y Naranja, **151**

TORNER, Gustavo
Acero y Chatarra, **28**
La Escala de Jacob, **77**
Mundo Interior, **104**
Sur-Geometries, **121**

VIOLA, Manuel
Blanco y Negro, **47**

ZÓBEL, Fernando
Ornitóptero, **27**
Jardín Seco, **68**
La Vista, **122**
Las Gaviotas, **148**

Las llamadas que aparecen al margen de los comentarios a cada obra ofrecen al lector referencias para la mejor comprensión de los textos, considerados independientemente unos de otros.

Chillida, Eduardo
San Sebastián, 1925

Eduardo Chillida realiza estudios de arquitectura en la Universidad de Madrid (1943-47) antes de decidirse a ser, exclusivamente, escultor. Como muchos artistas no figurativos, basa sus primeras obras en la impresión que le han producido utensilios o herramientas primitivos, usados por el pueblo de su entorno, en su caso un pueblo rural y marinero. Sus primeras esculturas suelen recordar instrumentos de trabajo, agrícola o pesquero: forjadas en hierro, sus agudas puntas evocan rejas de arado, tridentes, anzuelos y áncoras. En una fase posterior, a la que pertenece *Abesti Gogora,* busca sus raíces en la artesanía de los carpinteros de ribera, de los que tallan los duros troncos hasta ajustarlos exactamente para formar los costillares del casco del navío, las ensambladuras con los mástiles o los bancos de la cubierta, toda esa arquitectura que hace del más humilde barco pesquero una de las maravillas de la invención humana. Chillida pasa a formatos grandes, a grandes troncos que ajusta a la perfección por medio de «colas de milano», que a la vez aseguran la integridad de sus formas muy enrevesadas y aportan como un sello de buen hacer tradicional e incluso una sugestión decorativa de taracea en que juegan las hebras y nudos de las tres piezas que se juntan. Más adelante, el escultor ha usado el metal fundido, el mineral tallado (en particular, alabastro), el cemento encofrado que conserva el relieve de las vetas de la madera que lo engendró, la incrustación de metal en piedra, la cerámica mate de textura arcaica, siempre con ese mismo afán de buen oficio tradicional que observamos en este formidable ensamblaje de troncos.

En cualquiera de esos materiales, las formas de las esculturas de Chillida nos impresionan por algo que cabría llamar su dinamismo interno, para distinguirlo del dinamismo externo de la escultura cinética, basada en valores visuales, hacia los que Chillida nunca ha mostrado interés. Es innegable que una escultura es algo hecho, en primer lugar, para ser visto, antes que tocado, lo que en muchas ocasiones resultaría imposible al observador, sea por la distancia a que se sitúa la escultura (pongamos por ejemplo los *Peines del viento* anclados por Chillida en unos peñascos de la costa de su país natal), sea porque lo impiden las circunstancias de su exposición (en muchos museos sigue prohibido para el público tocar las esculturas). Pese a ello, muchas grandes esculturas ofrecen unos valores táctiles que, si nuestros dedos no pueden acariciar, pueden nuestros ojos comprender. Hay en esos materiales que Chillida elige una belleza táctil, los toquemos o no, especialmente apreciable en esta madera clara, pulimentada sin perder su esencia, de *Abesti Gogora,* cuyos volúmenes, tanto o más que para ser vistos, parecen creados para que nuestras manos los recorran, penetrando en oquedades casi fuera del alcance de nuestra visión. En obras metálicas posteriores esas formas se han replegado unas contra otras, como si quisieran defender un núcleo interior de vacío: núcleo muy perceptible en algunas grandes esculturas de cemento (como *Lugar de encuentros,* sita ante la fachada de la Fundación

Ver pág. 124

ABESTI GOGORA, 1960-64
Madera de chopo
Altura 98 cm.

Juan March de Madrid) que parecen defender ese *trozo* de espacio definido por sus tenazas para brindarlo al que pase ante ellas. En otros casos (en especial en ciertos hierros forjados) las formas, que habían estado contraídas unas sobre otras, parecen desperezarse, desarrollarse en el espacio exterior. En *Abesti Gogora* asistimos a una síntesis muy feliz entre ambos movimientos, centrífugo y centrípeto. Los gruesos troncos ensamblados son, a la vez, un edificio protector y como un ramaje que se abre. Cabría comparar esta escultura con un tema que Chillida ha tratado a menudo en su obra gráfica: una mano cerrada o abierta, cuyos dedos, bien insertos en el carpo, aunque se vean inmóviles, están llenos de posibilidades de acción.

Este es el «dinamismo interno» a que antes nos referíamos. Macizos y huecos parecen entrechocarse como en la falla de un acantilado, con una invencible sugestión de energía petrificada. Como Miguel Angel y Rodin —sus lejanos antepasados— Chillida juega aquí con una equivalencia de llenos y vacíos, con una alternancia de trozos pulimentados y trozos abruptos y rugosos, con algo así como la emergencia de la forma meditada del magma inicial, para conseguir expresar esa energía callada, concentración previa a una acción que todavía no se produce, tan admirablemente conseguida en el *Moisés* del italiano o en la *La Edad del Hierro* del francés y que Chillida logra, por otro camino: el de la abstracción. *Abesti Gogora* es, bajo este punto de vista, como un condensador de energía.

Millares, Manuel

Las Palmas de Gran Canaria, 1926 - Madrid, 1972

Los valores que juegan en *Cuadro número 2,* de Millares, son tan aparentemente humildes que un espectador no informado pudiera creer que se trata de un trozo de tela de saco, hallado, por casualidad, en un vertedero. Aunque así fuera, el hecho de haberlo escogido, tensado en un bastidor, aislado, enmarcado y expuesto en una colección sería lo suficientemente grave y provocador como para no poder pasar ante él sin darle importancia. Cuando, antes de la Primera Guerra Mundial, el francés Marcel Duchamp expuso en Nueva York objetos fabricados en serie *(ready-made)* que acababa de comprar en un almacén vecino, sosteniendo que eran obras de arte porque así lo había decidido, no estaba jugando a los disparates, sino poniendo en tela de juicio la esencia y la función de la obra artística y las dificultades de su diferenciación con la obra considerada no-artística. Cuando, pocos años más tarde, el alemán Kurt Schwitters exhibía en Hamburgo unos cartoncitos donde había pegado papeles viejos, restos de billetes de tranvía, entradas de cine, etc., no estaba haciendo un chiste, que ya se hubiera olvidado, sino tratando de terminar con la distinción entre cosas artísticas y vulgares, entre objetos considerables y despreciables, hallando en los últimos cierta sinceridad, una especie de calor humano, que acaso faltara en los primeros. Si Millares se hubiera limitado —en los años finales de la década de los cincuenta, en España— a exponer como cuadro un pedazo indiscriminado de saco, ya ello hubiera tenido un sentido de protesta ante la monotonía académica del arte de las exposiciones estatales, ante los temas pretendidamente populares tratados por técnicas evasivas, como letras de cambio a pagar en belleza, sin ir al fondo. El grupo *El Paso* había publicado, desde 1957, manifiestos agresivos y provocadores. Ese gesto de Millares podía tener —y tenía, ciertamente— un valor de provocación.

Ver pág. 33

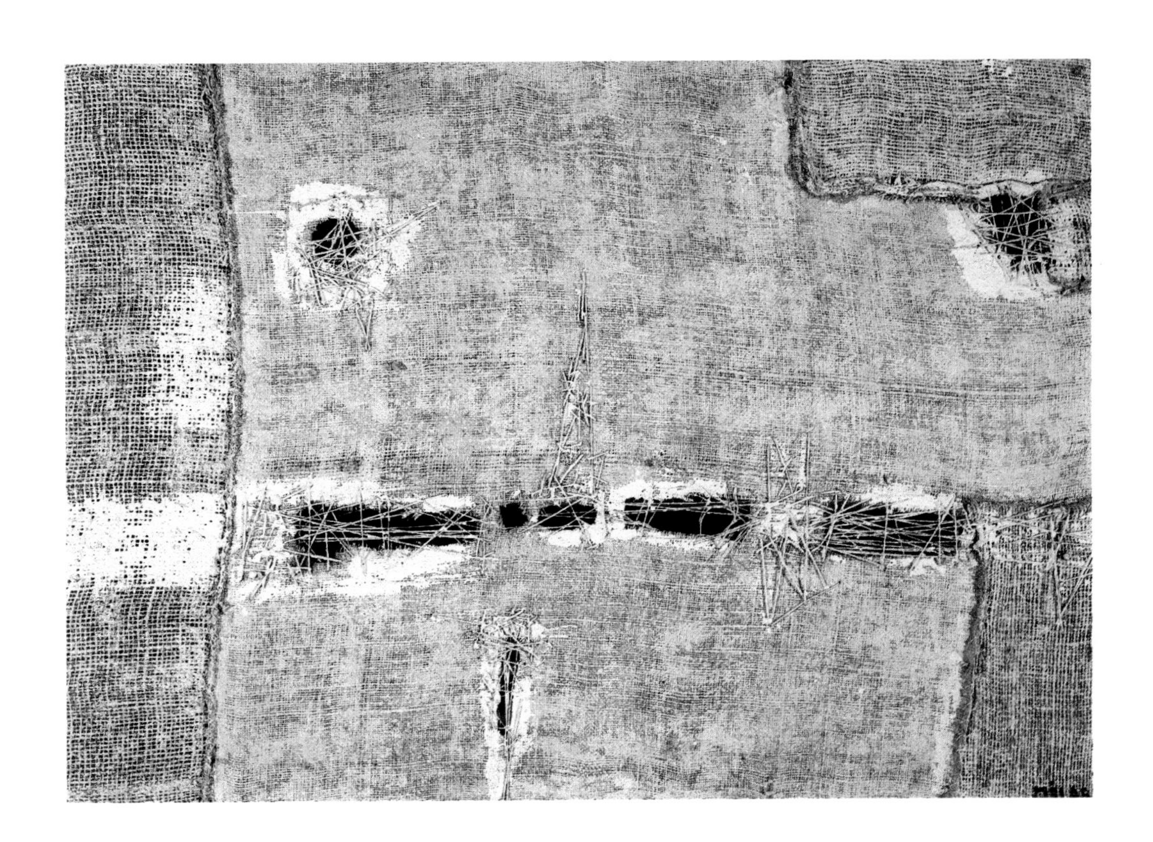

CUADRO NÚMERO 2, 1957
Arpillera y pintura
80 × 118 cm.

Pero tras ese gesto provocativo se escondía un nuevo concepto de belleza. La belleza no es única, como creían los neoclásicos: tiene muchos aspectos, muchas facetas y a veces, como una amada caprichosa, se niega a aceptar la cita de quien la llama con todos los requisitos y, en cambio, cae sometida a los pies de aquel que parece menospreciarla. Había belleza en los descoloridos *collages* de Schwitters. La había, la hay, en las primeras arpilleras de Millares, muy cercanas todavía a las de Alberto Burri, pero con algo que, en muchos casos, es la salvación del artista español: su tono popular. Notemos que el *Cuadro número 2* no es sólo cuestión de estética: en su humildad, parecen concentradas virtudes de resignación y de calma de muchas generaciones rurales. Nos devuelve más directamente al terruño que un paisaje, por bello que sea, de la Escuela de Vallecas. Aquí, en este trozo recortado de la realidad más vulgar, todavía alienta esa realidad.

Pero la cosa es más complicada. Esta obra se inscribe dentro de varias tendencias renovadoras de mediados de siglo. Por una parte, el considerar la estructura o textura de un cuadro tan importante o más que su color o su pintura; es lo que va buscando el *Art autre*. Por otra parte, el expresar cierto concepto de la realidad circundante a través de esa materia: aquí sería ese mundo de labranza y pobreza. Luego, el juego de vacíos y llenos. En efecto, la arpillera de Millares, además de costurones que le dan una composición, con zonas claramente determinadas en el extremo izquierdo y en los ángulos del derecho, con trama más ancha y desigual, ofrece varios agujeros, mal tapados con un corcusido, que a su sugestión de miseria insuperable añaden, someramente, la alusión directa a una tercera dimensión. El agujero en el cuadro: es el descubrimiento —comparable, si se quiere, al famoso *huevo de Colón,* evidente... una vez que hemos pensado en él— del artista ítalo-argentino Lucio Fontana. Una obra como este *Cuadro número 2* se sitúa, pues, en el centro de unas preocupaciones de la vanguardia de su tiempo.

Ver pág. 25

Millares agregará, a todo ello, algo que aquí sólo se esboza como una posibilidad, en esos orificios y en las manchas blancas que los circundan: la destrucción, la torsión, la atadura, la laceración, el pintarrajeo, para lograr, en vez de ese, un tanto apacible, trasunto de una vida pobre, pero tranquila, la tragedia de un artista y de un pueblo frente al dolor y la muerte.

Sempere, Eusebio
Onil (Alicante), 1924

Como decía Georges Braque, no puede haber abstracción sin partir de lo concreto. La obra no figurativa puede tener sus raíces en los recuerdos, necesariamente figurativos, de nuestra memoria visual y, por otra parte, puede prolongarse hacia nuevas experiencias ópticas del espectador al ver objetos o formas naturales. En realidad, nuestra mirada *no* es productora de impresiones idénticas entre personas de percepción óptica normal: en cada una de ellas se interfieren la cultura de su tiempo y la cultura personal. Ello explica que, hace poco más de un siglo, quienes veían el cuadro del pintor impresionista francés Claude Monet titulado *Impression, soleil levant,* creían que el artista era un incapaz o un impostor, que se estaba burlando de ellos: en esa tela, subtitulada *El puerto de El Havre,* ellos no veían absolutamente nada, sino unos garabatos desordenados y unos colores desvaídos alternando con unos borrones. Una persona de cultura media de un siglo después, al ver amanecer entre las brumas matutinas de un puerto de mar, es capaz de apreciar la belleza de esa indecisión óptica y de pensar: *Es igual que un Monet.* De hecho, los artistas de las diversas

ESTANQUE 2, 1963
Temple sobre tabla
50 × 25 cm.

épocas nos enseñan a *mirar,* lo que equivale a *ver.* En el caso de la obra de Eusebio Sempere *Estanque 2,* nos encontramos con una doble proyección. Esta pintura está muy cerca de su *fuente* figurativa y a la vez invita al espectador a buscar analogías con dicha *fuente* de sensaciones: sólo relativamente cabe calificar de abstracto un cuadro que nos brinda con tanta pureza ese extraño mundo de reflejos que es un estanque, con sus zonas transparentes o glaucas, sus ribazos erguidos que el espejo del agua duplica, la ingravidez y la yuxtaposición de sus zonas azuladas o verdosas. No sería de extrañar que al pasar un día junto a una albufera exclamáramos: *Es igual que un Sempere.*

La técnica del artista se basa, como en sus obras espaciales, en el juego de líneas paralelas que se cortan con otras paralelas, formando aguas o *moaré.* En el caso de la pintura, desaparece, evidentemente, la movilidad de la imagen, su cinetismo: las líneas se cortan en un punto determinado que, en unión de los vecinos, produce zonas delicadamente cebradas. La habilidad del artista es, aquí, hacer que esa situación de inmovilidad en que vemos su cuadro (es decir, todo cuadro) nos provoque instantáneamente una impresión fluctuante, como si viéramos agitarse esas espadañas y cabrillear esos reflejos. El estudio de la luz es más apurado todavía que en la escultura.

A todo ello, hay que añadir el profundo tono poético que el pintor encuentra para aludir, tan exacta y misteriosamente, a un espectáculo natural. Si nos acercamos al cuadro, sólo veremos rayitas de varios colores, líneas y más líneas paralelas, trazadas con meticulosa perfección, que constituyen una superficie entretejida como un tapiz. Siendo muy bello este juego geométrico, aún lo es más el efecto casi fantasmagórico que de esos rayados se desprende en cuanto nos alejamos dos pasos del cuadro. Del mismo modo, en un poema (por ejemplo, en uno de esos brevísimos *haiku* del Extremo Oriente, en que el escritor concentra, en muy pocas palabras, su emoción ante un espectáculo natural), nos interesa la belleza de los caracteres del texto y la armonía de su sonoridad: pero nos seduce, a cierta distancia, la mágica maestría del artista al captar, en ese diminuto espejo, algo de la infinita hermosura de la Creación.

Saura, Antonio
Huesca, 1930

Brigitte Bardot, actriz cinematográfica francesa, fue un *sex symbol* de los años cincuenta, una mujer de la que cabía discutir el talento interpretativo, pero de la que nadie discutía la belleza. La posición de Antonio Saura, al titular con ese nombre el agresivo adefesio, es de una *irreverencia* lindante con la blasfemia: comparable, en cierto modo, a la de un Marcel Duchamp al pintar su *Desnudo bajando la escalera,* 1913, tratando con desparpajo y sin el debido respeto uno de los temas mayores de la pintura occidental: el desnudo femenino. Pero en Antonio Saura existe además una agresividad expresionista, que no se contenta con despreciar o ignorar el mito, sino que lo ataca. En su personaje, claramente perceptible, no queda nada de aquel atractivo que hizo, por unos años, a la Bardot protagonista de las *revistas del corazón* y otras: el malintencionado mamarracho (cuyos antecedentes pudieran buscarse en ciertas *Women* que el americano-holandés Willem de Kooning pintaba la década anterior) no tiene de su *modelo* sino una alusión al peinado, en forma de cola de caballo, de moda en su tiempo. En el resto de la cabeza no vemos más que una enorme boca de grandes dientes, unos ojos bovinos, un perfil deshecho con brutalidad voluntaria. El resto de la fi-

BRIGITTE BARDOT, 1959
Oleo sobre lienzo
250 × 200 cm.

gura, negro y blanco, aparenta ir vestido, con lo que se priva al personaje de su posible baza mayor. ¿Es el pintor consciente de ese ataque al ídolo?: sin duda alguna. Pero, ¿tiene alguna razón para ensañarse así con Brigitte?: suponemos que no. Ya hemos dicho que fue un símbolo, un lugar común de la subcultura de los *mass media* y, como tal, con bastantes razones para ser atacado impersonalmente.

Lo que domina en la intención de Saura es, a la vez que demostrar así la independencia del artista hacia los valores efímeros, pero contantes y sonantes, que una sociedad le impone, dejar soltura a la mano para trabajar independientemente, dentro de una libertad instintiva e irrazonada paralela al *Action Painting,* en la que se trata de lograr en la tela un máximo de espontaneidad y de inmediatez, sin intervención excesiva del razonamiento, con un abandono casi mecánico de la lógica hacia la acción. Cabe afirmar que el pintor ha logrado su objetivo y que, a la vez que un anti-símbolo, su *Brigitte Bardot* es una forma agresiva que se sitúa inmediatamente en nuestra memoria.

Ver pág. 72

Esa actitud se acerca a la de los miembros del grupo europeo *Cobra* —por ejemplo Alechinski, Appel o Jorn— similares a Saura en su necesidad de partir de un tema humano, lo que pudiéramos llamar monigote o mamarracho sin intención peyorativa, para proyectar su expansión sobre la tela. Recordemos que Appel figuraba en el catálogo de una de las primeras exposiciones presentadas por el grupo *El Paso,* del que Saura fue no sólo cofundador, sino animador infatigable. Se trata de algo semejante, en su libre intencionalidad, a la pintura de un niño mal educado sobre un muro, lo que hoy llamamos *pintada,* pero sin letreros, reducida a su elemental impulso ético-estético. Similitud acentuada, en el caso de Saura, por el hecho de que sus adefesios, además de tener, generalmente, un gran formato digno del mural, están pintados en negro y blanco, los colores primarios (los anti-colores) del carbón y de la tiza, del alquitrán y de la cal. Hay un goteo que cae en cascada del cuerpo de *Brigitte Bardot* para acentuar el carácter casual e improvisado de la pintura, cuyo antecedente hallaríamos en el llamado *dripping* de los americanos, especialmente Pollock, pero que aquí, en razón a la austeridad tan *española* del colorido, subraya el aspecto urgente y como a punto de salir corriendo del anónimo autor de una pintada subversiva, como ésta.

Ver pág. 33

OMPHALO V, 1965-67 ▷
Oleo sobre lienzo
147 × 305 cm.

Palazuelo, Pablo
Madrid, 1916

La formación de Pablo Palazuelo, arquitecto, escultor y pintor, parte de lo cosmopolita (estudios en Inglaterra y Francia) para acendrarse, a la madurez, en lo español. Y no porque en su arte haya alusiones figurativas a su país natal, sino porque, de un modo progresivo e ineluctable, se constriñe a un austero esquematismo —pictórico o escultórico— en que nos complace ver el anverso de la medalla de España (sobriedad conceptista, concentración de efectos, eliminación de superfluidades) de la que el reverso sería la efusión, el derroche y la alegría. Palazuelo es un artista reflexivo hasta la angustia, meticuloso en sus esquemas hasta la obsesión, filosófico en sus planteamientos hasta lo teosófico. Su obra es, cada vez, como una pregunta y una respuesta ante el perpetuo interrogante de la Creación, un Microcosmos con que responder al Macrocosmos universal.

He comparado su época de los sesenta —a cuyo estilo pertenece *Omphalo V*— a la lenta mineralización de los seres vivos, vegetales o animales, a que nos hace asistir (de muy lejos, eso sí) la Paleontología. Dominan

los contornos ochavados, abiertos en abanico, sobre un negativo y contrastante fondo negro. El negro ocupa un lugar fundamental en la pintura de Palazuelo: es algo así como el vacío en la escultura, la nada de la que emerge lo creado, la noche de que, poco a poco, va saliendo la luz. Y no lo contrario: este cuadro, como otros muchos de este pintor, no nos causa una sensación deprimente, pesimista, sino positiva, esperanzadora. Cabría hablar aquí, como en la escultura de su amigo Chillida, de un dinamismo interno, de una fuente de energía callada, pero actuante, dispuesta, como el oculto fuego del volcán, a expandirse instantáneamente, si fuera necesario. Pero no lo es; nada más alejado de Palazuelo que lo improvisado, lo expresionístico, lo gestual. En su secreto taller va elaborando pacientemente estas telas, majestuosas y graves, como la montaña elabora su cristal de cuarzo o el bosque una rueda exterior en el tronco de la *sequoia*. Es curiosa esta íntima naturalidad de una pintura que es, al contrario, fruto de la más apurada meditación: *cosa mental* transformada en *cosa física*.

Ver pág. 14

Como en la Naturaleza, en cuadros como *Omphalo V* asistimos, aunque sin acabar de percibirlo (porque nuestra paciencia está en relación con nuestro efímero devenir) a un lentísimo movimiento: esas dos formas van como rodando sobre el fondo negro, entrechocando sus aristas hasta desgastarlas, entreverando sus salientes en una penetración que no es confusión. La sugestión de un posible movimiento rotatorio es muy frecuente en la pintura de Palazuelo, subrayado por los levísimos crujidos de las líneas, que se agrietan, que se esquinan, hasta que, definitivamente, uno de los dos tonos, el más fuerte y activo, comienza a penetrar en el otro, ante el absoluto silencio del fondo negro.

El formato amplio de los cuadros de este artista es un elemento que coopera a su aspecto un tanto mineral, por no decir sideral. El espectador no pasa de serlo: asiste, impotente y encantado, a un gigantesco y secular espectáculo que le sobrepuja en dimensiones, de tiempo y espacio.

Muñoz, Lucio
Madrid, 1929

Lucio Muñoz estudió pintura en la Escuela de Bellas Artes de San Fernando. Usa una pintura a la vez sombría y delicada, de hondos ecos. En su viaje a París en 1955 visita museos y exposiciones en los que aprecia algo que las reproducciones fotográficas (único medio de información —ya de por sí escaso y dificultoso de encontrar— de los jóvenes españoles de la época) apenas permitían atisbar: la expresividad del cuadro como textura, como un material inventado y no, simplemente, como la *superficie cubierta de colores dispuestos de cierta manera* de la definición del *nabi* Maurice Denis, tan atrevida medio siglo antes, al sentar que lo esencial del cuadro era eso y no lo que representaba. En 1955 (al menos, en París), el cuadro seguía siendo *cuadro* después de haber perdido sus condiciones de «superficie», de «colores» e incluso de la intencionalidad que lleva implícita esa «cierta manera» de la escueta definición de Denis. Comienza a triunfar el llamado *Art autre* (o arte *diferente*, otro arte) que busca en la materia que recubre el cuadro lo esencial de su mensaje estético. Hay obras de Lucio que acusan la influencia del gran pintor francés Jean Dubuffet, especialista en efectos de esa clase, materiologías y texturologías; yendo un poco más lejos, nuestro pintor se topa con el «collage» (o encolado), sistema inventado por los cubistas, al que Picasso no tardó en dar una extraordinaria libertad al no contentarse con reemplazar los *campos* de pintura por trozos de papel engomado, como hacían Braque, Laurens o Gris (lo que, a fin de cuentas, no infringía el carácter de superficie de la definición de Maurice Denis) sino que introducía elementos *en relieve* (maderas, en especial), que rompían lo

Ver pág. 32

ESTRUCTURA VERDE Y NEGRA, 1961
Oleo y contrachapado
81 × 100 cm.

bidimensional de la pintura, creando una a modo de pintura escultórica, en que lo expresivo del relieve de la pasta apelmazada o aplastada (que ya podemos apreciar en un artista antiguo, como Rembrandt) o de la pincelada empleada como un trenzado de cestería (como en Van Gogh) se reemplaza por la expresividad de los elementos *adheridos* a la superficie del cuadro. Este camino abierto (como tantos otros) por Picasso, fue explorado con infinito talento por algunos artistas del *Dadá,* en particular el alemán Kurt Schwitters, desde los tiempos de la Primera Guerra Mundial, destructora de fronteras políticas o, en este caso, estéticas, como las que separaban la pintura de la escultura, los materiales nobles de los que no lo eran e incluso las sensaciones de atracción y repulsión: las maderas viejas, los papeles rotos, las telas maculadas podían tener un valor expresivo de belleza tanto como los mármoles y los bronces del Neoclasicismo. Tras tales exploraciones, el campo de lo hermoso quedó no menoscabado, como temían los académicos, sino infinitamente ampliado. Y objetos o materiales que hasta esa época se consideraban, irremediablemente, antiestéticos (metales oxidados, carbones, trapos, alambres, etc.) ingresaron en el terreno de lo artístico.

Lucio Muñoz se da cuenta, a partir de 1957, del valor expresivo de la madera como colaboradora, en su específica textura de vetas y nudos, de la belleza de un cuadro-relieve. En ocasiones, como en el gran mural del altar mayor de la Basílica de Aránzazu, 1962, un preceptista no sabría decidir si se trata de un relieve o de una pintura: un preceptista europeo de la Edad Moderna, porque tales distingos entre un arte y otro jamás se les ocurrieron a los egipcios decoradores de los hipogeos del Imperio Antiguo o a los griegos que policromaban los frontones de sus templos; ni, evidentemente, a los prehistóricos «retratistas» de los bisontes de Altamira, aprovechando el relieve de sus grutas.

En su *Estructura verde y negra* Lucio Muñoz hace una clara labor de pintor, que exalta la armonía un poco melancólica de esas dos tonalidades (vida y muerte) con el empleo de maderas astilladas, de contornos bastos, como si fueran restos de un naufragio, escombros de edificios, algo, en fin, evocador, con cierto tono elegíaco, de una humanidad que ha dejado sus huellas impalpables en los materiales que, desde el primer momento de la Creación, han colaborado a su vivir. La madera es el más inmediato, el más familiar: algo así como el perro entre los animales domésticos. Ese aspecto usado, fatigado, que el colorido con que Muñoz la impregna acentúa, da su particular patetismo a cuadros como éste.

Zóbel, Fernando
Manila, 1924

La palabra *Ornitóptero,* que titula este cuadro de Fernando Zóbel, parece extraída de un tratado de Historia Natural. El diccionario de la Real Academia Española la define como «avión que se sostiene y avanza gracias a que sus alas ejecutan movimientos parecidos a los de las aves»; pero, dado que ha caído en desuso, ya que dichos ingenios volantes han sido (al menos de momento) abandonados en aras del aeroplano o avión de alas rígidas, remite inmediatamente a quien la lee a las dos partes de que consta: *ornito,* que significa pájaro, y *ptero,* sufijo referente a las alas. Al llamar su obra de esta manera, acaso con una pizca de ironía, con un vocablo que nos recuerda los esfuerzos de los pioneros de la navegación aérea, desde Leonardo da Vinci, sin perder cierto aspecto de clasificación que huele a Buffon o a Cuvier, este pintor humanista ha tratado de señalar, probablemente, el aspecto de artilugio

ORNITÓPTERO, 1962
Oleo sobre lienzo
114 × 146 cm.

volador, de pájaro y hasta de insecto, que adquieren esas líneas cruzadas y engarabitadas, con sus sombras barridas diagonalmente, y que nos sorprende, por así decir, en el ángulo superior de un campo muy claro, casi blanco, por contraste con la negrura acerada de esos trazos, comparable a un espacio vacío que el objeto volante estuviera a punto de abandonar.
Los títulos de los cuadros contemporáneos no se limitan a ser definitorios o descriptivos, como los de los cuadros antiguos (por ej. *Recuperación de Bahía del Brasil, La fragua de Vulcano, La escala de Jacob, La familia de Felipe V,* todos en el Museo del Prado) sino que disfrutan de la misma libertad que la propia imagen pintada. Pueden ser claros u oscuros, simplemente numerales, como en Feito o en Farreras, indicativos de alguna propiedad de la obra, de la intención del pintor, como en *Jardín seco* del propio Zóbel. A veces pueden ser irónicos, incluso contrarios a lo que el espectador cree ver (por ejemplo, el pintor belga Magritte pinta el simulacro de una pipa y escribe *Esto no es una pipa,* lo que, por lo demás, es indiscutible). Generalmente vienen, después de pintado el cuadro, como una aclaración o comentario. El título desconcertante de *Ornitóptero* es, una vez que lo asimilamos, muy revelador de esa imagen tan llena de movimiento, y a la vez tan definitivamente inmóvil sobre esa gran página naturalista que es el lienzo.

Ver pág. 68

Tiene un aspecto de caligrafía extremo-oriental, algo de la infalible torpeza de las aguatintas de los monjes de la secta Zen. Fernando Zóbel, nacido en Filipinas, estudiante en Harvard, de cuya universidad es conservador honorario de Caligrafía, está muy relacionado con el arte chino, con su visión reflexiva y lírica de la naturaleza, tanto en el paisaje como en lo que pudiéramos llamar aquí mecánica animal. Fundador, con Torner y Rueda, del Museo de Arte Abstracto Español, de Cuenca, es uno de los artistas más influyentes de su generación, por la exigencia de su sentido crítico, aplicado a sí mismo y a los demás, con una sensibilidad que ha servido de guía infalible para su colección de pinturas y esculturas y que se advierte, incluso en su apariencia algo inquietante, en este *Ornitóptero.*

Torner, Gustavo
Cuenca, 1925

Acero y chatarra es, a la vez, una invención y una abstracción de un tema figurativo. Es un cuadro en forma de cuadrado regular, dividido en dos zonas en una proporción que se acerca al *número de oro* de Luca Paccioli. La parte superior, la más grande, es una superficie brillante e inmaculada de acero inoxidable. La

ACERO Y CHATARRA, 1962
Acero inoxidable - chatarra plateada
162 × 162 cm.

inferior, irregular en su planitud, textura y tonos, es una lata o lámina de chatarra que, en vez de estar simplemente roñosa, aparece ligeramente argentada. La yuxtaposición de dos materiales metálicos tan diferentes (casi cabría decir opuestos), el uno como fruto de una laminadora mecánica e infalible, el otro producto del azar, de la intemperie y de una artesanía indefinida, es de por sí muy sugestiva. Dentro de las tendencias del *Art autre,* Torner, al usar dos *texturas* tan diferentes y a la vez tan similares, al ser ambas metálicas, derivadas del hierro, con la frialdad y agresividad correspondientes, ha conseguido una renovación de la materialidad del cuadro, del que la definición de *superficie cubierta de colores* parece ya bien alejada.

Ver pág. 25

Pero es que hay otra intención, en este artista-ingeniero de montes que es Gustavo Torner: una intención de pintor paisajista. Efectivamente, la parte inferior, con sus rugosidades, con sus tonos medios, con sus zonas más o menos claras, más o menos maculadas, es *la tierra,* un trozo de campo, o mejor de monte, de roca como las que, en las serranías conquenses, bien conocidas por Torner, combinan los grises del granito, que van del azulado al púrpura, con las infinitas manchas y motas de líquenes, fósiles, musgos y adherencias, raíces y cantos rodados. Con esta sufrida y experimentada parte del universo del cuadro contrasta la otra, la impoluta, la brillante, la luminosa. Cuando salgamos de ver esta obra de Torner, *montes* y *cielo* nos aparecerán como dos planchas, de chatarra plateada y de acero bruñido.

Este contacto con el espectáculo natural, explica buena parte de la obra de Torner (y de Zóbel). No se trataba de repetir, con ayuda de pinceles y de óleos, las tonalidades superficiales de las rocas de los Hocinos del Huécar, de las plomizas nubes; aunque un artista sincero pueda seguir haciéndolo. Se trataba de acercarse al paisaje a través de la materia, de ofrecer, no una fotografía en color, más o menos estilizada, sino un trasunto, una traducción a otro idioma. Hay un aspecto casi conceptual, a la vez que altamente decorativo, en esta obra, que cabe situar al comienzo de dos tendencias vanguardistas de fines de los sesenta: *Minimal Art* y *Arte Povera.*

Pero hay, al mismo tiempo, en esta obra una carácter metafórico que, hasta nuestra época, se concedía ampliamente a la poesía, pero no a la pintura. El poeta podía buscar equivalencias, asociaciones de sensaciones, ideas, como podemos leer, por ejemplo, en un poema de Rubén Darío, su *Sinfonía en gris mayor,* cuyos primeros versos *(El mar como un vasto cristal azogado / refleja la lámina de un cielo de zinc)* pudieran ser la descripción de un cuadro de Torner similar al que contemplamos.

Tàpies, Antoni
Barcelona, 1923

Antoni Tàpies tiene veinticinco años cuando contribuye a fundar una revista, *Dau al Set,* que agrupa un reducido número de artistas y escritores; de los primeros, además de Tàpies, su primo Modest Cuixart, Joan Ponç y J. J. Tharrats; de los últimos, Joan Brossa, Arnau Puig y, poco después, Juan-Eduardo Cirlot. Todos ellos son de filiación surrealista: el propio nombre de la revista así lo anuncia, en su imposibilidad contra la lógica (un dado nunca puede caer en siete). A la vez, usa el número siete, impregnado desde los antiguos tiempos de un prestigio sacral y casi mágico. Por lo demás, los miembros del grupo (como los de

MARRÓN Y OCRE, 1959
Pintura sobre tela
170 × 195 cm.

la P. R. B. británica de un siglo antes) son siete. Todo ello evidencia un afán de misterio y trascendencia, no sólo en las obras escritas por esos poetas, Cirlot en especial, sino en los cuadros de los cuatro pintores. En aquella época, Tàpies está bajo la influencia directa del gran artista suizo Paul Klee, a quien conoce por reproducciones y escritos (no habiéndose expuesto obra suya en España hasta mucho después), por lo que no le sigue en su búsqueda de nuevas calidades, sino en lo funambulesco de su diseño: los *tapies* de la época, sobre fondos muy lisos y oscuros, crean visiones nocturnas, entre apuntes de perspectivas fugadas, extrañas arquitecturas alámbricas, estallidos repentinos de un tono fuerte y luminoso, entre los que emerge, como un *leitmotiv,* el entrecejo meditabundo del autor. Son obras que muestran ya un enorme talento, pero en las que el artista está muy lejos de lo que va a ser su gran medio de expresión: la *materia.*

Ver pág. 25

En 1950 va a París y entra en contacto con lo que suele llamarse *Otro Arte,* tendencia iniciada en Francia por Fautrier y Dubuffet, que sitúa lo esencial de la obra pictórica en la materia de que está compuesta. Tàpies ya no busca perfiles que reproduzcan los objetos o las facciones. Lo que trata de lograr —y lo consigue rápidamente, con insuperable maestría— es que la textura del cuadro sea una materia rica y expresiva, necesidad que ya intuían Gabo y Pevsner en su *Manifiesto realista* de 1920, al negar el color como elemento fundamental de la pintura. Pensemos, por ejemplo, que *un verde* determinado puede convenir, como tonalidad, a cosas de calidades tan distintas como una hoja, una fruta, una piedra, tallada o en bruto, una cerámica, barnizada o mate, un tejido, aterciopelado o de trama perceptible, una botella, un estanque, etc., objetos que jamás identificaríamos en la realidad por ese denominador común. Nadie confundirá una hoja de higuera con un cántaro, aunque tengan un color semejante: las distingue, aparte la forma, por esa contextura, esa calidad. Tàpies busca el acercamiento a lo real a través de esa textura, conseguida por una vía experimental en la que es insuperable maestro, en una alquimia de taller que combina arenas con resinas y que produce auténticos *relieves* de una insuperable sugestión táctil.

Eso no quiere decir que se vea obligado, por ello, a renunciar al color. Precisamente tiene un refinado sentido de los valores cromáticos, como podemos apreciar en este *Marrón y ocre,* en el cual la forma dominante, cubierta de un finísimo granulado, y con ciertas rayas u ondas, dibujadas o en saliente, que evocan un trabajo de alfarería de pueblo primitivo, se recorta bruscamente sobre un fondo marrón oscuro, en el que existen otros elementos lineales, aparentemente casuales, pero entre los que figura el rectángulo cruzado,

Ver pág. 57

que veremos en otras obras, para evitar toda sugestión de espacio abierto. Los cuadros de Tàpies no son ventanas, sino muros: paredes en las que parecen haberse apoyado muchas generaciones.

Feito, Luis
Madrid, 1929

Ver pág. 72
Ver pág. 25

En el año 1957 se formaba en Madrid un grupo artístico que tomó el nombre de *El Paso,* que simbolizaba el anhelo de sus miembros de abandonar la esfera, predominantemente figurativa y académica, del arte español de la posguerra civil, para buscar nuevas expresiones, total o parcialmente abstractas, en sintonía con movimientos internacionales, expresionistas o texturológicos, como el *Action Painting* norteamericano, el grupo *Cobra* (Copenhague-Bruselas-Amsterdam) europeo, el *Art autre* francés, etc. Este grupo se componía de los artistas Rafael Canogar, Manolo Millares, Manuel Rivera, Antonio Saura, que publicaba sus ma-

NÚMERO 148, 1959
Oleo y arena sobre lienzo
115 × 146 cm.

nifiestos, Juana Francés, el escultor Pablo Serrano, los escritores José Ayllón y Manuel Conde y el pintor cuya obra vemos aquí, Luis Feito. Más tarde se adhirieron Manuel Viola y Martín Chirino. A diferencia del grupo barcelonés *Dau al Set,* muy directamente inspirado por el *non-sense* surrealista en su vía de desorientación reflexiva, *El Paso,* aunque indirectamente dependiera del surrealismo, lo sería en su aspecto de inmediatez, de automatismo expresionista, más o menos matizado, como en las consecuencias surrealistas de la Escuela de Nueva York. Se caracterizó, en general, por su aspecto violento, muy evidente en sus panfletos y ciertas obras de sus principales miembros, con el que ponía en evidencia su impaciente anhelo de terminar con la soporífera situación del arte oficial. A la vez que un Salón anual, que viniera a sacudir las amodorradas Exposiciones Nacionales de Bellas Artes (fundadas en 1856, dentro de unas coordenadas idóneas a su tiempo, pero anacrónicas un siglo más tarde), tanto en las aportaciones de los artistas españoles como en las de invitados extranjeros, se proponía publicar un boletín o revista que pusiera en entredicho los valores de cotización ministerial. La presentación en Madrid de las exposiciones *Otro Arte* —con obras de Burri, Appel, Pollock, Wols y Tobey— y *Escuela del Pacífico,* fueron acontecimientos inusitados que pudieron pasar inadvertidos o menospreciados por el gran público, pero que inquietaron a los artistas.

Ver pág. 31

Luis Feito mostró desde ese momento, sin violencias, una personalidad independiente que se advierte en la pintura *Número 148,* que entra de lleno en la expresividad *materiológica* que interesa a los pintores hacia los años sesenta. Pero así como otros apelan a la inserción de materiales heterogéneos en el cuadro, dentro de una posición *dadaísta* de invención y desacralización de la pintura tradicional, Feito sigue pintando sobre la base de la técnica del óleo, eso sí, buscando con ella efectos inéditos. Esa posición de bisagra da particular interés a cuadros como éste, de composición muy libre, en tonos grisáceos que, partiendo de un núcleo oscuro, sito al centro-inferior del lienzo, llegan hasta el blanco, y en la que ese juego de valores se encuentra sostenido por otro juego de espesores de la materia pictórica, tan expresivo como el cromático. En esa voluntaria austeridad y sencillez, el artista logra un bellísimo efecto abstracto, pero nada prohibe al espectador que siga una sugestión figurativa, la de un astro (sol o acaso luna) oculto tras una nube y cuya claridad se derrama sobre las vecinas.

Oteiza, Jorge de
Orio (Guipúzcoa), 1908

HOMENAJE A LAS MENINAS, 1958
Piedra de Marquina
41 × 38× 33 cm.

Jorge de Oteiza se hizo famoso por su intervención como escultor en el Santuario de Nuestra Señora de Aránzazu, en el que puso la austeridad de sus formas abstractas al servicio de una idea religiosa. Tras el manifiesto *realista* de Gabo y Pevsner que proclamaba que en la escultura el espacio ha de expresarse por el hueco, propugnando un arte del vacío, la escultura contemporánea abstracta suele elegir ante el dilema de lo macizo y lo hueco. En general, Oteiza se coloca entre los cultivadores de una escultura maciza, la que pudiera arrancar de Brancusi, pero con una afición a los planos y a los ángulos rectos, que lo sitúa, de algún modo, en una esfera poscubista. Su arte, de gran pureza y sencillez, busca la equivalencia y el ritmo de la figura abstracta por medio de escotaduras y biseles. Pudiera en este aspecto acercarse (sin hablar de influencias) a la obra de un André Bloc o de un Emile Gilioli, que saben, como Oteiza en la obra que aquí consideramos, establecer un equilibrio dinámico entre una superficie lisa y un repentino chaflán; pero en ellos, las convexidades son más abundantes y sensuales que en este guipuzcoano. Se parecen en el amor a la materia natural, a la piedra de diversas calidades y tonos, pulimentada con respeto y esmero.

Por desgracia, los progresos de la edición moderna no han llegado a eliminar la presentación bidimensional de las obras reproducidas en libros o revistas: si cuando se trata de pintura, y en especial de dibujo o grabado, las reproducciones pueden ser apreciablemente correctas, en arquitectura y escultura siempre resultan deficientes, por más que multipliquen las láminas con puntos de vista del edificio o de la estatua. Como decía el propio Bloc, la escultura es *el arte de ocupar el espacio,* y eso mal puede reflejarse en una superficie de papel. Una escultura como la presente exige del observador que la rodee y que la contemple, no sólo en el aspecto frontal de las culturas arcaicas, ni en el cara-dorso de las relativamente evolucionadas, ni en los cuatro puntos cardinales (o fachadas) del Renacimiento: necesita ser examinada sin solución de continuidad, advirtiendo sus desplazamientos de volúmenes, sus ritmos y sus síncopas. La vista es, casi, un testigo incompleto en este caso. Y (si el guardián lo permite) la mano, el tacto, apreciarán hasta el fondo lo que la visión no hace más que revelar. Así llegaremos a comprender la perfecta armonía de un volumen en el espacio, con sus planos positivos y sus huecos negativos, estableciendo un diálogo perpetuo.

Canogar, Rafael
Toledo, 1934

Ver pág. 33

Rafael Canogar tenía veintitrés años cuando contribuyó a fundar el grupo *El Paso,* del que fue el miembro más joven. Iniciaba desde hacía dos años una labor abstracta expresionista, hasta cierto punto común denominador de la posición de ese grupo, que no había de tardar en disgregarse, dejando a sus componentes en libertad de seguir sus propios imperativos. Al haber comenzado precozmente su carrera, este pintor nos ofrece, después de su período primero de aprendizaje, tres épocas muy definidas. La primera, a la que pertenece esta obra, *Toledo,* se caracteriza por la búsqueda de una violenta expresividad en tonalidades muy simples (básicamente, blanco —más o menos grisáceo— y negro —más o menos marrón—), con

TOLEDO, 1960
Oleo sobre lienzo
250 × 200 cm.

formas muy agresivas sobre lienzos de gran tamaño. Técnicamente, en esta pintura al óleo, realizada a pincel, hay efectos de raspadura a cuchillo o espátula y alguna aislada escurridura —como la que divide en dos partes el fondo de este cuadro en su parte superior— al modo norteamericano. Se trata de lograr una sensación de inmediatez, de violenta fuerza volcada sobre la superficie de la tela. Pero no existe ninguna alusión clara a un punto de partida figurativo, como en Antonio Saura y como en el grupo europeo *Cobra.* Canogar es tan absolutamente no-figurativo que el título de sus obras de ese período no nos ayuda, en absoluto, a interpretarlas. Sería inútil buscar en el título *Toledo* una guía que nos indicase que esa forma representa la enhiesta colina de la ciudad imperial, coronada de edificios; igual pudiera basarse esa imagen en la cabeza, muy ampliada, de una mosca. Y ciertamente, las obras de esta primera fase de Canogar tienen algo de tremenda ampliación microscópica de un amenazador insecto.

Ver pág. 22

Hacia 1964 cabe situar el comienzo decidido de la fase siguiente del pintor, que abandona el informalismo instintivo y se dedica a un arte, mixto entre escultura y pintura, que revela las violencias de su tiempo y la indefensión de los trabajadores ante el poder absoluto. Esculturas-vaciados, realizadas con fragmentos encolados de trajes, con un impacto inmediato, incluso en un público no preparado para expresiones artísticas modernas. Madera, poliéster y fibra de cristal contribuyen a la formación de estos grupos o relieves, cuyo lejano antecedente podría buscarse en los vaciados de escayola de Segal, pero en los que alienta, una vez más, el hondo sentido expresionista de Canogar.

Una vez más su carrera cambia de dirección, precisamente en el momento en que podía haber *patentado* oficialmente su estilo. En 1975, el pintor toledano vuelve a la pintura, esta vez nuevamente abstracta, pero ya no expresionista —al menos en el sentido del *Action Painting*— sino basada en una honda meditación de los colores, que se yuxtaponen en bandas sombrías. Pero no por ello pierde esa enorme carga emocional que es la característica más saliente de las creaciones de Canogar.

Ver pág. 72

Lorenzo, Antonio
Madrid, 1922

Antonio Lorenzo fue en la década de los cincuenta uno de los primeros pintores abstractos españoles preocupado por los contrastes y relaciones entre los colores. Después de formarse en la Escuela de Bellas Artes de San Fernando, adoptó una postura personal, eliminando todo elemento figurativo, de la que es

NÚMERO 326, 1962
Oleo y acrílico sobre lienzo
165 × 200 cm.

buen ejemplo este *Número 326,* en el que de la negrura del fondo surge, como un estallido de fuegos artificiales, un visionario acorde de tonalidades muy vivas, con acentos blancos, amarillos, rojos y azulados de aspecto casi fluorescente. Pero encima de ellos se destaca un a modo de rudo perfil, como de esfinge, voluntario o casual, en tonos sucios, que parece tratar de imponerse a la simple alegría de los colores puros. Esta obra, que pudiera calificarse de *informal* –al no ofrecer formas geométricas bien definidas–, de *expresionista abstracta* –al pretender trasladar al espectador ese momento a la vez de inquietud y de euforia que parece haberla inspirado–, de *tachista* (o, por ser más correctos, *manchista),* –por estar compuesta de manchas de diversos colores–, o de *gestual* (otra mala traducción en uso del *gestuel* francés, que viene de *geste,* ademán, aspaviento, pero no mueca) –porque parece efecto casi involuntario de un ímpetu creacional no controlado excesivamente por la razón y la lógica–, pertenece a una tendencia muy en boga a mediados de nuestro siglo, la que desde la galería neoyorquina de Peggy Gugghenheim se hizo famosa bajo el nombre de *Action Painting,* pintura actuante, o acción pictórica, ya que sus adeptos consideran como lo esencial de su oficio no la obra resultante, sino el momento de furia o de éxtasis en que la crean, dentro de una inmediatez que, como pretendían los surrealistas, elude en lo posible la reflexión lógica, para que esa actitud pictórica de disponibilidad absoluta ante la tela pase a ella del modo más directo e ingenuo.

Ver pág. 72

Es evidente que, tanto en aquellas obras (entre las cuales las de Jackson Pollock han tenido la mayor repercusión) como en las de los artistas españoles más o menos relacionados con la actitud renovadora del grupo *El Paso,* la verdad de esa postura no es más que relativa, lo que no es excepcional en las teorías artísticas y que, pese a fijar el punto álgido de la creación en la acción misma, siempre resulta una *obra* que, a fin de cuentas, es lo único que queda. Afortunadamente, como en esta *Número 326,* no ha perdido ese hervor, ese fuego actuante que la engendró.

Ver pág. 33

Cuixart, Modest
Barcelona, 1925

La intención del artista se evidencia en el título de este cuadro: *Gran barroco,* en el cual lo enmarañado de las líneas y lo suntuoso del colorido, en el que interviene el oro, son como alusiones a las grandes decoraciones palatinas o eclesiásticas del siglo XVII. Pero no se trata de lograr una decoración neo-barroca, como las realizadas (con un colorido semejante) por Josep María Sert en Barcelona, Vich y Nueva York, con personajes gesticulantes y expresionísticos puntos de vista. Cuixart querría conseguir algo así como un *extracto* del barroco, una especie de síntesis lírica, y para ello no apela al raciocinio, sino que se deja llevar por el instinto plástico, atacando un lienzo con la libertad con que lo hacían, en la época de esta pintura, los pintores americanos del grupo *Action Painting,* que en su empleo del azar y de la improvisación se manifestaron también seguidores del automatismo recomendado por los surrealistas franceses de 1924 para librarse de los imperativos de la razón.

Ver pág. 72

Ver pág. 31

Esta obra es característica de Modest Cuixart, uno de los fundadores, en 1948, de la revista y grupo *Dau al Set,* que en su mismo nombre mostraba su tendencia surrealista y que venía a renovar, en la Ciudad Condal, el dormido ambiente de las artes de la posguerra civil y a romper una tradición que disimulaba su academicismo tardo-impresionista bajo apariencias de clasicismo *noucentista.* La tradición a la que aspiraba Cuixart, como otros miembros de ese grupo (Tàpies o Ponç, por ejemplo), iba más allá, hacia las artes

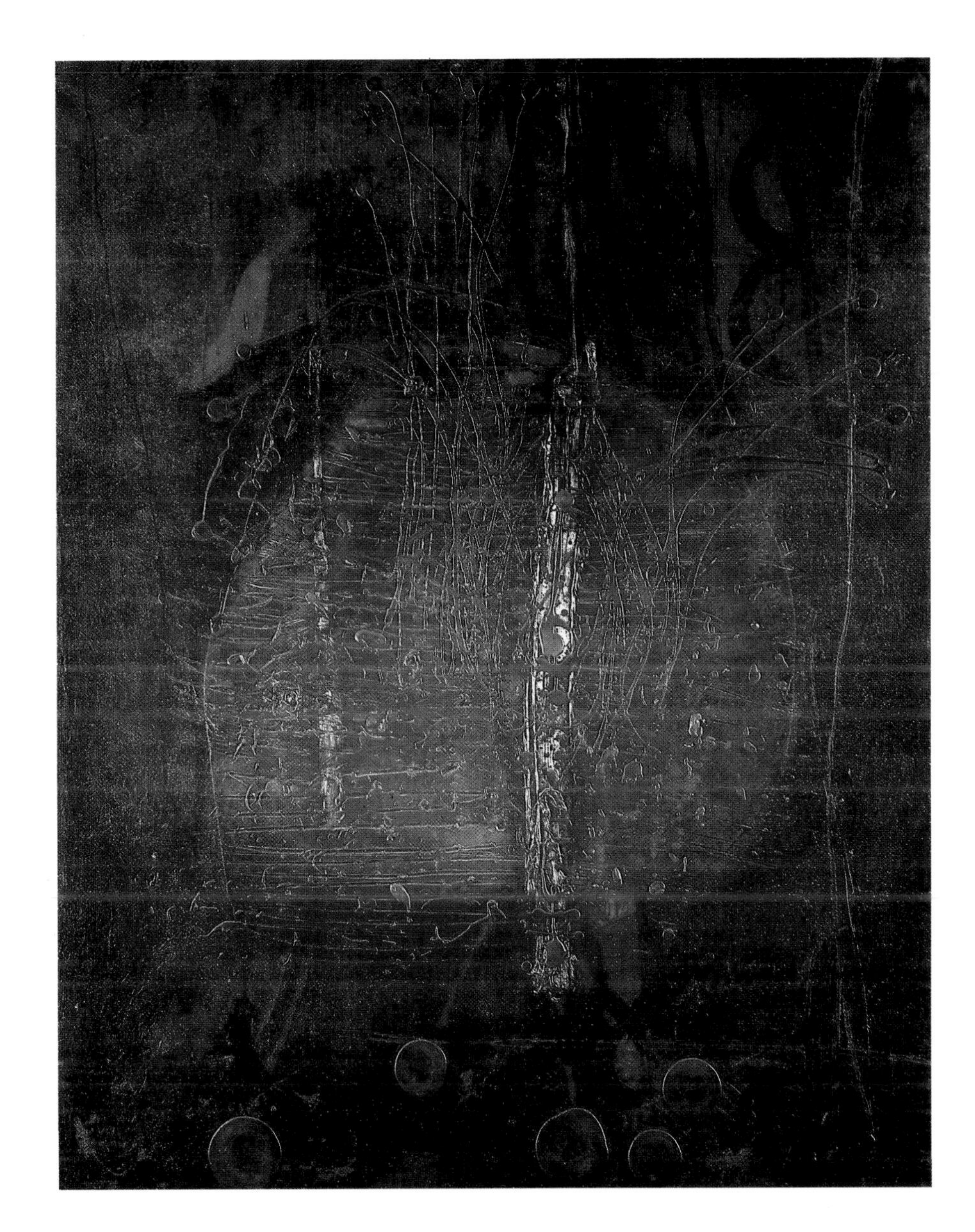

GRAN BARROCO, 1959
Oleo, materiales acrílicos y metálicos sobre lienzo
162 × 130 cm.

medievales y populares. Es interesante descubrir en este *Gran barroco* elementos muy anteriores al siglo XVII: esos círculos dorados, a modo de monedas o medallas, de la parte inferior, pintados en relieve, probablemente con un instrumento semejante a la manga usada aún en pastelería para decoración de las tartas, utensilio de tela o material flexible, de forma aproximadamente cónica, que al ser apretado suelta por un agujero del vértice un hilo o una gota de materia blanda, que se endurece inmediatamente al caer sobre su soporte de yema o chocolate. De igual modo los pintores de retablos de la Corona de Aragón enriquecían sus tablas, desde el siglo XIII hasta comienzos del XVI, con aplicaciones de escayola (aureolas, orlas, coronas, armas) que recibían luego una leve capa de oro. Cuixart es, pues, un artista *barroco* por el aspecto decorativo y complicado de este cuadro, pero en realidad se refiere, como los artesanos, a técnicas ancestrales.

Ello, paradójicamente, da su aspecto moderno (y casi *modernista,* del modernismo fantástico del Palau de la Música Catalana) a sus cuadros de este período abstracto.

Mompó, Manuel H.
Valencia, 1927

Educado en la Escuela de Bellas Artes de Valencia bajo la influencia de los grandes maestros del luminismo levantino, Manuel H. Mompó sigue fiel al aspecto de fiesta del color y de la luz diurna de la pintura de esa región, con cualidades de facundia inventiva, alegría cromática y lozanía de ejecución hasta cierto punto semejantes a las de sus antecesores Pinazo, Sorolla o Martínez Cubells. Pero con aprensión ante un exceso de fluencia pictórica y pintoresca, que puede ser en ocasiones el defecto (o, más exactamente, el *exceso)* de esa tendencia panteísta, Mompó la reduce a límites de tonalidad y materia, logrando una expresión *camerística* de los grandes poemas sinfónicos de los valencianos de 1900.

Su formación en escuelas más austeras (París, Holanda y norte de Italia) contribuye a esta voluntaria limitación de efectos. Y por afinidades electivas, pasa muy largas temporadas en Mallorca e Ibiza, de calidades de luminosidad equiparables a las valencianas, pero de mucha mayor austeridad cromática. El blanco de las viviendas y salinas parece haber cuajado en los fondos de los cuadros de Mompó, blancos matizadísimos y delicados, con delicias casi culinarias en que los ojos creen saborear natas y cremas. Sobre esa capa, a la vez luminosa y consistente, Mompó esparce sus signos, más o menos figurativos, como en estos *Campesinos mirando,* puntos, rayas, ángulos de vivos colores, dentro de una gracia caligráfica que viene del cosmopolita Paul Klee.

Lo más paradójico de este artista, lo que le presta su mayor atractivo, es precisamente esta fusión inseparable de lo castizo y lo internacional, que, a fin de cuentas, ha sido la principal virtud de la escuela valenciana

CAMPESINOS MIRANDO, 1964
Oleo sobre lienzo
100 × 81 cm.

desde su concreción en la Edad Media: muy dueña de sí, pero abierta a todas las corrientes del mar océano. Es, al mismo tiempo, abstracto y figurativo, como lo son muchos pintores del pasado, pero con mayor insolencia. Él nos entrega el lienzo, con alegrías y transparencias de acuarela, para el placer de nuestros ojos; pero lo acompaña de un título muy concreto, a modo de guía para quien trate de saber (como suele decir la gente no especializada) lo que *representa* el cuadro. En este caso, el de *Campesinos mirando* hace esperar una escena popular, de cañas y barro, a la manera de Ferrándiz o de Domingo Marqués. El fondo aparece levemente velado de tonos traslúcidos, campos o estanques, sobre los que se recortan, dibujadas con el pincel directamente en tonos más fuertes, formas a la vez concretas y poco caracterizadas, salvo esa especie de molinillo o flor azulada, trasunto de los molinos de viento baleares.

Rivera, Manuel
Granada, 1927

Este título pudiera aplicarse a buena parte de las obras de Manuel Rivera que parecen expresar ese momento misterioso y crepuscular en que un ser, un objeto, se convierte en otro. El mismo género de arte en que trabaja, a medio camino entre pintura y escultura (en el cual la tercera dimensión, en vez de ser el engaño a los ojos de la pintura clásica, es como un fantasma, vago pero real, entre los colores y las rejillas) es en sí

METAMORFOSIS, 1962
Tela metálica sobre plancha de cobre
130 × 89 cm.

mismo una metamorfosis. ¿Se va cubriendo el cuadro de escamas y de hojas, de telarañas y de colgaduras, hasta que se convierte en una escultura? O, al contrario, esas adherencias ¿se van descolgando, separando, hasta dejar monda y lisa la superficie que enmascaran? Hay algo subterráneo, nocturno, en esas metamorfosis, como la que aquí vemos, que rompe las categorías tradicionales. Cabría preguntarse si se trata de una expresión extrema del *Otro Arte,* en busca de unas calidades del cuadro que rebasan la segunda dimensión y se aupan, trémulas, hacia la tercera. Lo que es indudable es que son obras ópticas, hechas para ser vistas, no para ser tocadas; al pasar, parpadean con sus redes y sombras superpuestas, y tienen algo del atractivo paradójico de los murciélagos y las arañas, tendidos en su rincón, colgando de la pared o del techo, con la infinita paciencia de los seres inferiores. Ese parpadeo visual nos acusa el movimiento agresivo que son capaces de iniciar, cuando no los miramos.

Ver pág. 25

¿Literatura? Pero ¿cómo no ha de haberla en la obra extraña, personalísima, de este granadino, para quien la metáfora es el modo normal de expresarse con cierta exactitud? En la poesía de su ciudad natal, desde los poetas arábigo-andaluces hasta Federico García Lorca, late esa pasión de expresar la esencia de unas cosas a través de las otras: un sistema de acercamiento ilógico, pero certero, que elimina las falsas lógicas de las etimologías y trata de iluminar, por un relámpago de certidumbre, las zonas oscuras. *Metamorfosis* permanentes, que nos descubrió, en sus antologías, Emilio García Gómez: *Por fin se desgarró la oscuridad, para dar paso al brillo del alba, como se hiende el verdín descubriendo el agua del estanque* (Ben-Al-Bayya, siglo XII). *Los ejércitos de las negras nubes, cargadas de agua, desfilaban majestuosamente, armadas de los sables dorados del relámpago* (Ben Suhayd, siglo XI). *La mano de los vientos realiza finos trabajos de orfebre en el río, ondulado en mil arrugas, y siempre que ha terminado de forjar las mallas de una loriga, la lluvia viene a enlazarlas con sus clavillos* (Asa Al-Ama, siglo XII, *cf. Poemas arábigo-andaluces). Y en los espejos verdes / largas colas de seda se mueven* (F. G. Lorca, *Café cantante). Al estanque se le ha muerto / hoy una niña de agua... (Nocturnos de la ventana). Abejaruco / En tus árboles oscuros / Noche de cielo balbuciente / y aire tartamudo (Trasmundo). Que se entere la luna / y esa noche de rocas amarillas / que ya se fue la vaca de ceniza (Vaca). Ignorante del agua voy buscando / una muerte de luz que me consuma (Gacela de la huída)...* Cualquiera de esas imágenes sería más reveladora que un comentario de ese mundo sonámbulo que late en los espectrales gallineros de Manolo Rivera.

BLANCO Y NEGRO, 1960
Oleo sobre lienzo
130 × 97 cm.

Viola, Manuel
Zaragoza, 1919

Manuel Viola es uno de los contados pintores abstractos que ha llegado a tener popularidad entre el público no especializado. Se sitúa en la esfera de un expresionismo no figurativo, cuyo dinamismo de pincelada y fuerza cromática produce un impacto entre quienes se desentienden, de grado o a la fuerza, de las corrientes modernas del arte. Miembro fundador de una revista *(Art,* de Lérida) a los catorce años, se traslada a Francia a los veinte, al final de la guerra civil, formándose de un modo casi intuitivo, en relación con Picasso y el delicado pintor *tachista* Henri Goetz. Vuelto a España, cultiva una fórmula muy personal, dentro de la tendencia informalista, que consiste en hacer vibrar en un contexto oscuro o negro unos brochazos o golpes de espátula de vibrantes colores, con una pasta generosa y una pincelada de enorme soltura. Para quien no esté habituado a ver pintura abstracta, esos cuadros pueden representar hogueras en la noche, explosiones, fenómenos astronómicos, metales en fusión, erupciones volcánicas; llaman su atención como toda forma que brilla en un espacio sombrío, casi hasta la hipnosis. Sabida es la atracción del espejuelo para las aves o del leño ardiendo en la chimenea para los seres humanos: algo de ellas tienen esos cuadros, sucintos y casi brutales, pero enormemente decorativos, que han hecho famoso a Viola.

El que presenta aquí la Fundación Juan March no es de tonalidades calientes, sino frías. Su título *Blanco y Negro* alude a los dos colores —o anticolores— que lo componen, con un poco de azul. La pincelada astillada, flagelante, de Viola adquiere aquí su mayor expresividad. Se trata de una somera red de zarpazos oblicuos, que se entrelazan rudamente: su dinamismo no parece haberse aquietado al quedar en la tela, sino que aparenta una eterna palpitación. Nos parece asistir a un momento de la evolución de esos fogonazos lívidos, como si, al apartar la vista y volver a mirar el cuadro, pudiéramos encontrarlos cambiados. Los contrastes de esas pinceladas, su textura deshecha, sus manchones oscuros, traen a la memoria las escandalizadas palabras del pintor y preceptista sevillano Francisco Pacheco, suegro de Velázquez, cuando, al visitar a El Greco en Toledo, le vio asestar a cuadros que tenía apartados, contra la pared, pinceladas, *crueles borrones, para afectar valentía. A eso llamo yo trabajar para ser pobre,* comenta Pacheco, sin comprender (como su yerno comprendió luego) que esas pinceladas negras hacen vibrar con más intensidad los colores que cortan y son en sí mismas, en su desesperada energía, una fuente de expresividad. Esa fuente en la que bebe Viola en sus mejores obras.

Millares, Manuel

Las Palmas de Gran Canaria, 1926 - Madrid, 1972

Ver pág. 33

A partir de la fundación, a la que contribuye, del grupo de artistas *El Paso,* en Madrid, 1957, Manolo Millares se aparta decididamente de la pintura figurativa, en la que había hecho sus primeras obras, de un surrealismo con temas canarios, expuestas en Barcelona, Madrid y, lo que suele olvidarse, en París, en la efímera galería fundada por el poeta surrealista aragonés Tomás Seral y Casas. Al igual que buena parte de los artistas de ese grupo se siente atraído por el expresionismo abstracto y por el deseo de reemplazar las técnicas tradicionales por otras, más bruscas e intuitivas, haciendo que el vehículo de la emoción creadora sea el objeto-cuadro y no las capas de pintura que lo cubren de colores dispuestos de cierta manera. Millares busca un medio directo, un *material* que no sea *noble,* sino revelador de una angustia, de un sentimiento trágico de la vida (por usar la expresión de Unamuno) propios del pueblo español en sus momentos agónicos. Ya desde la revolución dadaísta las vanguardias artísticas habían empleado materiales de desecho, como más impregnados de humanidad que los recomendados por las academias: con Schwitters y Hannah Hoch, las papeleras y los cubos de basura vacían su contenido en los museos. A mediados de siglo hay una búsqueda de lo sincero, hallado al parecer con mayor empuje en lo despreciado que en lo rico. Millares —como el italiano Alberto Burri, expuesto en Madrid en una de las primeras colectivas del grupo *El Paso*— lo encuentra en las arpilleras, en los tejidos más bastos, usados en los sacos de los labriegos. Esta tela, que evoca pobreza, que lleva consigo una sugestión táctil de cilicio, se revela idónea para su visión de la existencia.

Ver pág. 72

Ver pág. 17

Sería inútil tratar de establecer si Millares imita, al comenzar, los *sacos* de Burri (ver, en especial, su *Cuadro número 2).* Artista proteico, el italiano ha evolucionado y esos sacos sólo son una faceta de una obra que tiene otras muchas. En Millares, el descubrimiento del saco es fundamental. Y de los agujeros y cosidos que evocan una vida de miseria, pasiva al fin y al cabo, pasa a una expresión más activa, más vital en sus composiciones abullonadas, formando relieves, manchadas brutal y someramente de rojo, de negro, de blanco. Este *Sarcófago para Felipe II* es blanco y negro. Se compone de dos paneles, pero la tradicional sugestión de díptico desaparece por la inserción de un objeto en relieve, suerte de caja metálica pintada de negro, que evoca la cerradura de un armario de mal agüero. El tono funeral de esa portezuela es llevado al paroxismo por la forma yacente, envuelta en trapajos y sudarios, que ocupa su parte central, como si el contenido de esa tumba se revelara a su exterior. Se trata de unos trapos salientes, recogidos con cordeles, y que, aunque no haya en ellos ninguna alusión directa a un cuerpo humano, provocan en el espectador, aleccionado por el título, una idea oscura de momia o de cadáver. Cabría decir que es, en lo abstracto, el

SARCÓFAGO PARA FELIPE II, 1963
Pintura plástica sobre arpillera
2 piezas de 130 × 97 cm.

equivalente de aquel tremendo jeroglífico de la Muerte y del Juicio, *Sic Transit Gloria Mundi,* que el pintor sevillano Juan de Valdés Leal pintó para la iglesia del Hospital de la Caridad, y en el que vemos un pudridero, con cuerpos medio descompuestos en ataúdes abiertos. Con la diferencia –obviamente, entre otras– de que Valdés nos brinda una salida de esa nada, la Salvación eterna tras el Juicio, mientras Millares no nos ofrece más que la nada. Bien es verdad que ha elegido, para reposar en ese sarcófago, a un rey español que algunos escritores y artistas contemporáneos (como Antonio Saura en sus *Retratos imaginarios)* suelen ver, con razón o sin ella, como la encarnación de una España negra y funeral, de la que hay que tratar de liberarse. Este sería el único aspecto positivo de esta lección de desengaño que Millares nos impone, rodeada de unos valores plásticos de enorme seducción.

Serrano, Pablo
Crivillén (Teruel), 1910

Pablo Serrano es de la misma región que Pablo Gargallo (Maella, 1881), con quien le relaciona una sólida formación académica y una gran libertad para usar de ella. Formado en Zaragoza y Barcelona, Serrano emigra a los veinte años a América del Sur, donde ha de permanecer un cuarto de siglo, haciéndose una gran reputación en Argentina y Uruguay como profesor, artista y realizador de monumentos conmemorativos, dentro del cosmopolitismo de Buenos Aires y Montevideo. Regresa a España, tras el envío de unas obras a la II Bienal Hispanoamericana (Barcelona, 1955), que le abre en su patria un camino triunfal. Pero eso no basta para que el escultor se duerma, o al menos se acomode, en sus laureles: sucesivos viajes por Europa le ponen en contacto con nuevas expresiones artísticas, con una escultura abstracta de la que le aparta su ansia de humanidad, que impregna toda su obra, pero a la que, formalmente, no puede oponerse. A partir de ese momento, en Serrano habrá, simultáneamente, dos escultores: el que sigue produciendo monumentos conmemorativos, ineluctablemente figurativos, pero de gran libertad (Unamuno, Galdós,

BÓVEDA PARA EL HOMBRE, 1962
Bronce con pátina
Altura 81 cm.

Machado, Marañón) y retratos expresionistas en que canta, hasta lo más hondo, la personalidad de sus modelos (Gaya Nuño, Camón, Aranguren, Alberto Portera) y el que busca, en la abstracción, una expresividad nueva para los eternos sentimientos y problemas del hombre. No hay que olvidar que en 1957, dos años después de su salida de América, es uno de los fundadores del grupo *El Paso,* que trata de sacar al arte español de la rutina y del convencionalismo.

Ver pág. 33

Comienza así una carrera con sus *Ritmos en el espacio* (1959-60) y las *Presencia de una ausencia* —en que quemaba la obra para hacer perceptible el vacío que ocupaba— y pasa luego a una serie de obras que titula *Bóvedas para el hombre,* a la que pertenece la escultura que comentamos. *El hombre, en vida* —escribe entonces el artista— *no hace más que ir confirmando su propia bóveda... En el fondo, el hombre no es ni más ni menos que un animal en busca de la cueva para su refugio. La limitación de su espacio, como principio y fin, empieza en el vientre materno, para terminar en el vientre de la tierra. La idea de llamar a estas esculturas, que pretenden una concavidad construída, bóvedas para el hombre, parece alentar una última esperanza: lo que sin ella pronto no serán otra cosa que cuevas o agujeros para la bestia.* Dentro de este moderado optimismo, Serrano construye, con elementos de albañilería, casi de desecho, una bóveda burda que se adapta, en forma y tamaño, al ser que pretende cobijar, y que tiene el aspecto rugoso, rudimentario, casi natural que corresponde a esa idea. La obra nos impresiona por su equilibrio tenso, por su ritmo brutal, por la expresividad de su materia agrietada, aun antes de conocer su contenido ideal.

Rueda, Gerardo
Madrid, 1926

Rueda estudió pintura en Madrid y colaboró con Zóbel y Torner en la fundación del Museo de Arte Abstracto Español de Cuenca, ciudad en la que ha residido largas temporadas. Fuera de sus usos habituales nos ofrece aquí una pintura que cabe calificar de figurativa o que, al menos, nos da una referencia hacia un paisaje determinado, por su escueto título. Athos o Akte es una península al este de la Cólcida, en el Noroeste de Grecia. Es célebre en todo el mundo por servir de refugio a una comunidad de monjes, que eligió en el siglo X el Monte Athos o Hagio Oros (Santa Montaña), en cuyas alturas existe una veintena de monasterios bajo la autoridad del patriarca de Constantinopla, en situación de independencia respecto al Estado griego. El acceso a esos conventos, muy difícil, está prohibido a las mujeres.

ATHOS, 1960
Oleo sobre lienzo
97 × 130 cm.

En su *paisaje,* Gerardo Rueda evoca libremente ese lugar. Sobre la base de la montaña, sumida en la oscuridad, resalta la gruesa materia de los peñascos grises, a modo de corona, en cuyo centro brilla un trazo blanco, que puede ser un monasterio que recibe ya, en la altura, la luz del sol, que aún no alumbra la tierra baja.

A decir verdad, el pintor no ha necesitado viajar a Grecia para tener una impresión análoga. Este *Athos* recuerda demasiado el abrupto paisaje de Cuenca, donde el artista tiene un estudio, con sus diademas rocosas, excavadas por el Júcar y el Huécar, sobre las que relucen los edificios de la ciudad alta.

Ver págs. 89 y 138

En cualquier caso, *Athos* es una obra interesante y sobria, con el aliciente complementario de su singularidad en el catálogo de un pintor que suele manejar formas geométricas y volúmenes reales, como cabe apreciar en otras obras que figuran en esta colección: *Gran pintura blanca* o *Conferencia.*

Feito, Luis
Madrid, 1929

Ver pág. 33

De la monocromía del *Número 148,* Feito pasa al cuajarón rojo que centra este *Número 363,* sin abandonar su afición a la materia espesa, apelmazada en relieve sobre una superficie plana regular y, en este caso, negra. Una mancha semejante vamos a hallar, en otra articulación, sobre un fondo amarillo, en el *Número 460-A,* con la misma expresividad de una materia como en ebullición o expansión, en este caso rodeada de negro irregular. En el *Número 1077* el gusto por esa pasta, semejante a la argamasa o mortero que el albañil aplasta con la llana, se ha aminorado, hasta casi desaparecer. Todo ello está muy de acuerdo con una evolución temporal que va de 1959 a 1974, pasando por 1962 y 1963, conservando ese esquema de círculos que es característico del pintor, pero renunciando a los efectos de masa batida y a la impresión de espontaneidad de las obras juveniles.

Ver pág. 91
Ver pág. 129

En *Número 363* Feito busca efectos en dos teclados simultáneos: el de la textura gruesa, con cierta sensación de blandura (lo que buscaba, en ese tiempo, por ejemplo, el francés Mathieu con mayores pretensiones caligráficas y logros de más superficial decorativismo), y el efectismo contrastante (lo que cabría llamar claroscuro) de los valores luminosos. Trata de que el espectador contemple su obra como algo tan espontáneo como un producto de la Naturaleza, con sus iregularidades, sus porosidades, sus brillos. Si comparamos ese cuadro con otros como el *Blanco y Negro* de Viola o la *Pintura 326* de Lorenzo, nos percataremos de que usan un idioma común, aunque con las diferencias correspondientes a cada individualidad: es decir, que tienen un estilo de época, perceptible fácilmente a pesar del poco tiempo transcurrido desde su pintura: apenas veinte años. Dentro de esa tendencia *informalista* o *manchista (tachista),* esos cuadros se revelan diferentes de los de otros artistas extranjeros de igual tendencia y época, por la importancia dada al negro, en el que los colores estallan como pavesas, con cierto aspecto dramático, casi trágico. Con lo que nos da-

Ver págs. 46 y 39

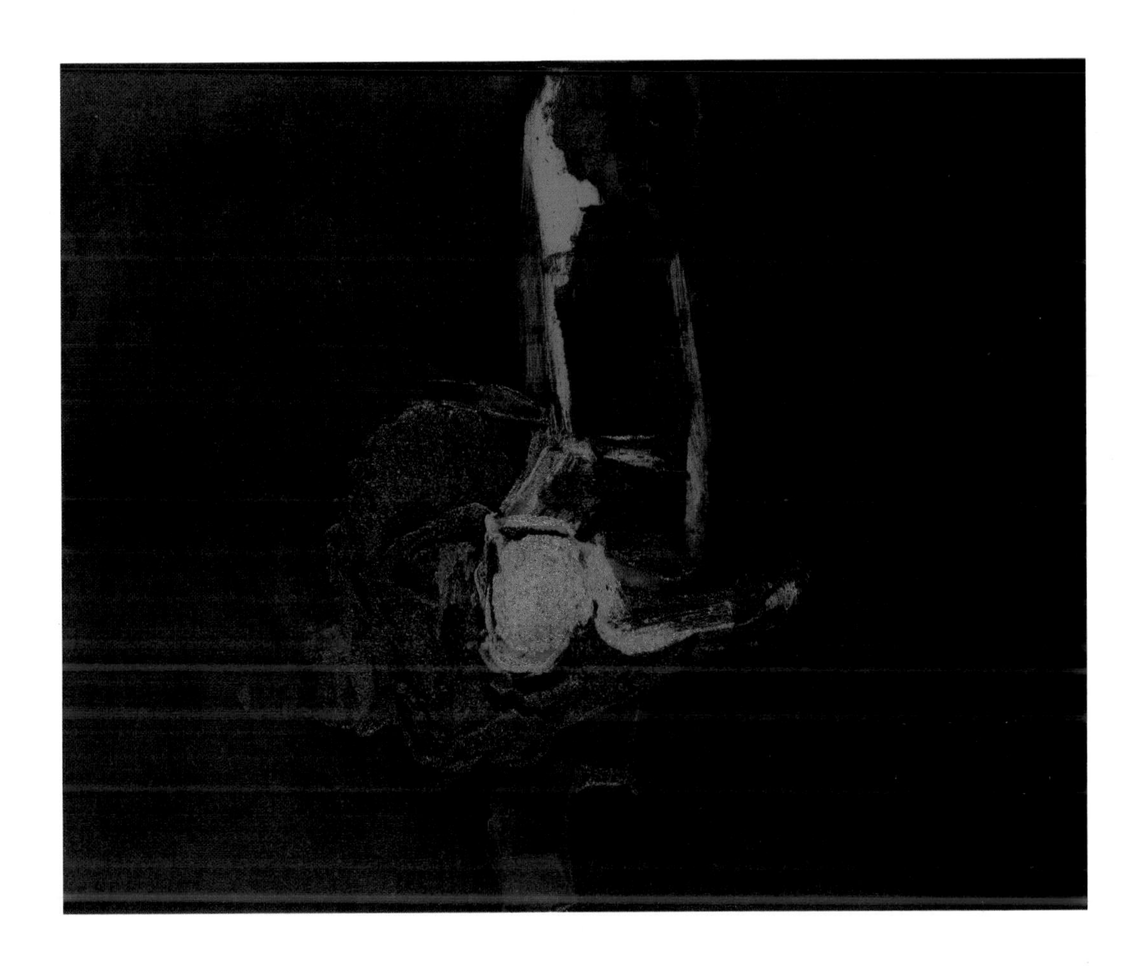

NÚMERO 363, 1962
Oleo y materia sobre lienzo
81 × 100 cm.

mos cuenta de que hay en cada cuadro un aspecto *de época,* un aspecto propio *del lugar* (es decir, del grupo social) y, en fin, un aspecto *individual,* que en Feito se revela en su casi obsesión por el círculo de fuerte cromatismo, astro o núcleo de vida.

Es evidente también que en esos cuadros, como en otros muchos no figurativos, sean del grupo que fueren, toda explicación escrita resulta vana e inútil si el artista ha conseguido realizar completamente lo que su instinto creador le pedía, y que acaso más tarde fuera incapaz de definir. La obra conseguida ha logrado su propio idioma, que no admite traducciones y que puede ser o no entendido: eso ya depende del espectador.

Tàpies, Antoni
Barcelona, 1923

Los títulos de los cuadros de Tàpies suelen ser simplemente descriptivos. No tratan de inducir al espectador a que emprenda el camino interpretativo que interesa al creador, sino que lo dejan en libertad y soledad absoluta. Ello es muy propio de ese aire de distanciamiento aristocrático que la obra de este artista impone. Tàpies, que ha vivido y expuesto muchas veces en París, usa en este caso el francés para titular su obra *Grande équerre: grande,* porque la medida del cuadro lo es, *équerre* (escuadra o cartabón, es decir, instrumento de dibujante, carpintero o constructor, basado en el ángulo recto) para caracterizar el juego de ángulos rectos que es esta imagen.

La banda que dibuja ese motivo, rigurosamente simétrico, tanto en vertical como en horizontal, se adapta a las partes superior e inferior del cuadro, deslizándose un trecho por los laterales hasta lanzarse en diagonal, cruzando muy claramente la parte ascendente de izquierda-derecha sobre la otra (que, llevados de nuestra costumbre europea de *leer* las formas, como los signos de la escritura, de izquierda a derecha, estamos tentados en calificar de *descendente).* Hasta cierto punto, esta banda ininterrumpida que da su forma al cuadro es algo así como una cinta de Moebius, de imposible geometría, esbozada por un negligente pintor mural de altas épocas. Esa sugestión arqueológica, frecuente en las grandes pinturas de este autor, puede ser debida a la materia, rica, bella y degradada o enriquecida por el tiempo, como el relieve pintado de un hipogeo egipcio, y a la sencillez de las formas. Aquí esa cinta se cruza, formando cuatro ángulos rectos, que, con los otros cuatro de las esquinas del cuadro, justifican el título sobradamente.

El aspecto de relieve rupestre o monumental se debe, asimismo, al tamaño. Nos parece encontrarnos ante una puerta. Para Tàpies el cuadro no es, como para los pintores del Renacimiento o del Barroco, un agujero hacia la tercera dimensión, una ventana abierta en el tabique de nuestra sala: más bien es como una losa, como una pesada puerta (bidimensional, pese a los relieves) que se cierra ante nosotros y nos obliga a permanecer. El aspa que la cruza en *Grande équerre* acentúa poderosamente ese cerramiento: parece una de

GRANDE ÉQUERRE, 1962
Materia mixta
195 × 130 cm.

esas cruces de San Andrés que se clavan en las aberturas de edificios ruinosos o apestados. Ese aspa nos obliga a mirar muy de cerca el cuadro-objeto en sí, con sus manchas como de humedad, sus rebabas de pintor de edificios, sus desconchados, sus arrepentimientos, en derredor a la impecable forma geométrica, grabada en incisión como en una lauda.

Así es como uno puede ver esta obra: es un modo de acercamiento como otro cualquiera. Aunque no es, seguramente, el único. Precisamente, la riqueza de la gran obra de arte, sea de Tàpies o de cualquier artista, antiguo o moderno, es la enorme variedad de sus posibles contemplaciones. En obras como las que este libro recoge, no cabe dar reglas fijas de *cómo hay que mirar cada pintura.* Cada cuadro supone un esfuerzo de colaboración entre el autor y el espectador. Según los gustos y formación de éste el cuadro podrá tener uno u otro sentido. Pero ello sucede de modo semejante en obras figurativas (pensemos, por ejemplo, en las casi infinitas interpretaciones que se han dado de un cuadro aparentemente realista y objetivo, como *Las Meninas* de Velázquez). En cualquier caso, para que la obra de arte asuma este papel de imán, de condensador, es preciso que esté basada en serias cualidades estéticas.

Saura, Antonio
Huesca, 1930

La visión crítica y agresiva de la vida moderna (en la cual, paradójicamente, se desenvuelve con asombrosa facilidad) característica de la obra de Antonio Saura, da una virulencia especial a esta obra que, con sus múltiples tallos jaspeados y sus brillantes colores pudiera, a simple vista, parecer decorativa. Conste que no hay en este adjetivo ningún contenido negativo, a nuestros ojos: decorar (y hasta con-decorar) derivan de decoro, es decir, de lo más conveniente, y de hecho no hay obra grande en la Historia de la Pintura, desde los bisontes de Altamira hasta las abstracciones de Mark Rothko, que no sea decorativa, como lo son *La Escuela de Atenas, Las Meninas* o *El Tres de Mayo,* además de ser, evidentemente, más cosas. También lo es esta *Cocktail Party* (que ya fue el título de una de las mejores comedias dramáticas de nuestro siglo, escrita por T. S. Eliot) en que esos larvados y agitados personajes, semejantes a protozoarios, a seres submari-

COCKTAIL PARTY, 1960
Esmalte, rotuladores y tintas sobre cartón
69 × 100 cm.

nos, incluso a vibriones y hasta espermatozoides en un frenético impulso de abrirse paso, se entrelazan, por desgracia, sin llegar a compenetrarse. Es muy revelador ese paradójico aislamiento, esa incomunicabilidad de esos seres reptantes o rampantes, que mientras alargan sus remos o miembros, tratando de ocupar la mayor cantidad posible de espacio, enarbolan sus fisonomías grotescas, como orgullosas banderas de su personalidad. Toda la obra es como un chisporroteo de muecas y actitudes dominantes o insinuantes por parte de esos homúnculos grotescos, adefesios demasiado humanos. De este modo, lo que a la primera ojeada podía parecer un mantón de Manila, un sari indiano, un chal de Cachemira o un tapiz persa, se revela como una reunión pretenciosa y falsamente brillante, profundamente ridícula. En este cultivo del mamarracho, Saura y el pintor belga Alechinsky van, a veces, codo con codo, a la vez decorativos y crueles como esa serpiente *Cobra,* que dio nombre a la más virulenta escuela pictórica del siglo XX.

Ver pág. 33

Cuando ese grupo se constituía en Copenhague-Bruselas-Amsterdam, en Madrid alentaban los pródromos de *El Paso,* del que Antonio Saura fue principal animador no sólo en sus pinturas, sino con sus textos, de un pronunciado e insolente tono dadaísta. *Señoras, señoritas, caballeros:* —grita un manifiesto de 1958, que da como domicilio del grupo el del propio Saura— *El Museo del Prado está muy bien, pero... ¿conocen ustedes las obras del grupo El Paso? Ni cubistas ni futuristas, ni surrealistas ni abstractas, ni figurativas ni no figurativas, ni buenas ni malas, ni bonitas ni feas, ni compuestas ni descompuestas, ni decorativas ni antidecorativas, ELLAS SON.* Son: esto es, existen por sí mismas, como esta *Cocktail Party,* ni decorativa ni antidecorativa.

Mompó, Manuel H.
Valencia, 1927

Este pintor, aparentemente abstracto, se muestra aquí figurativo: podemos reconocer la figura de la madre, de tres cuartos, erguida, con su hijo en brazos, cerca del seno, y cierto aire de simple majestad. Con esta pintura, que está fechada en 1962, Manuel Hernández Mompó, nacido y formado en Valencia, tierra muy apegada a lo sensual, a lo material, a lo espléndidamente vivo y respirable de las cosas, va siguiendo una trayectoria que lo lleva a mayor pureza, mayor inmaterialidad, más lírica abstracción. Aquí se nos muestra un excelente pintor, de tonos mates pero cantantes, como de muralista, con cierta influencia de la escuela italiana contemporánea, acaso en especial de Bruno Saetti, conocido en España antes que otros compatriotas por haber adquirido obra suya el Museo de Arte Moderno (hoy Contemporáneo) de Madrid. Tiene este Mompó algo de la dulzura y coquetería italianas, sin eludir la grave ternura de su tema.

Es necesario apuntar aquí que el paso de lo figurativo a lo no figurativo, tal como lo vemos en este y algunos otros pintores (pensemos en Zóbel, en Sempere) no es un camino estrictamente necesario para un artista contemporáneo, ni siquiera de la generación de Manuel Hernández Mompó, en la que era natural que el aprendiz de pintor partiera de una educación figurativa eliminando poco a poco aquellos detalles menos expresivos para el gusto personal de cada pintor, llegando a la abstracción. Tenía razón, en su tiempo,

MATERNIDAD, 1962
Oleo sobre lienzo
81 × 65 cm.

Georges Braque, el gran inventor (con Picasso) de la estética cubista, cuando decía a Jacques Lassaigne que para abstraer hacía falta partir de lo concreto. Hoy eso no está tan claro. Un joven habituado a ver, desde que nace a la cultura, cuadros o esculturas abstractos, acaso pueda seguir el camino exactamente opuesto, y comenzando a pintar geométrico o *gestual,* terminar en la figuración más absoluta, e incluso con ribetes neoclásicos: entre jóvenes artistas españoles no escasean esos casos. En la década de los sesenta, lo más natural en quien trataba de lograr una estética al día era ir estilizando la realidad hasta hacerla desaparecer. Lo curioso de Mompó es que ese paso no lo dará nunca: en sus cuadros más abstractos hay siempre alusiones, más o menos claras, pero siempre entusiastas, a la vida común de los mortales, casi a los temas de género. En esta *Maternidad* esa eliminación de datos acaba de empezar.

Farreras, Francisco
Barcelona, 1927

Francisco Farreras escapa a lo que pudiéramos llamar *escuela catalana.* Afincado en Madrid, su formación como artista independiente se realiza en París y en Nueva York, y comienza a ser conocido en la esfera internacional a partir de la XXVII Bienal de Venecia (1954). Una breve fase figurativa lo lleva hacia lo abstracto. Pero en el momento de franquear esa frontera se pregunta si bastará con prescindir del tema consuetudinario y no será conveniente prescindir a la vez de la técnica tradicional.

Es frecuente entre los artistas contemporáneos esta necesidad de innovación, no sólo en los temas, sino en el modo de tratarlos; si en lugar de un paisaje pintamos una composición geométrica, sirviéndonos de las mismas técnicas, la renovación puede quedarse en lo superficial. Después de haber manejado el óleo, la «gouache», las tintas, etc., y de haber buscado (como cada cual en los años centrales de este siglo) una textura nueva, una *calidad* nueva en su pintura, Farreras la encuentra en el *collage* de papel sobre papel, es decir, en la técnica ya tradicional desde que la inventaran los cubistas. La novedad consiste en usar ese papel pegado, más que en razón de su color, en la de su aspecto transparente o, al menos, traslúcido. Algo influído por el arte chino y japonés, en donde la textura del papel es primordial, este pintor usa papeles de seda, como equivalentes de las transparencias o «glacis» que otros siguen logrando a base de la espátula y la pintura al óleo. El valor rítmico de la pincelada se traspasa de este modo al lenguaje de las arrugas del papel, que en esta composición *Número 183* asume una expresividad muy poderosa.

Farreras parte de una forma simple, un signo (como en *La frisa* de la colección de la Fundación Juan March) o un contraste de campos de color (como en la obra aquí comentada, rotunda como un doble peñasco recortado sobre un fondo nocturno) para irla alimentando, en su calidad, por la adhesión de hojas de finísimo papel, con una técnica especial para evitar el despegue. Se trata, pues, de una obra de elaboración lenta y cuidadosa, pero que se esmera en no perder el aire de espontaneidad: un objeto precioso y delicado, que puede adquirir lo nacarado de las conchas o lo turbio de las aguas sin perder su primer aspecto de *naturaleza:* arte a la vez decorativo y meditativo, como el de los grandes calígrafos del Zen. El gran formato de algunas de estas obras acentúa su paradójica delicadeza. Es el caso del *Número 183,* título que responde a la numeración del catálogo rigurosamente llevado al día por el pintor, que ha terminado por prescindir de títulos que dirijan la atención del espectador en un sentido previo, para dejarle en uso de la más absoluta libertad de buscar (o no) las asociaciones de imágenes que cada obra de Farreras le ofrece.

Nos hallamos así ante un tema abstracto, que equivale a lo que antaño llamaban *argumento* del cuadro. Las pinturas se solían definir, hasta fines del siglo XIX, por lo que «representaban», tomando el verbo representar en el sentido teatral del actor que desempeña un papel, aunque todos supieran que ese

NÚMERO 183, 1962
Collage y pintura sobre tela
125 × 170 cm.

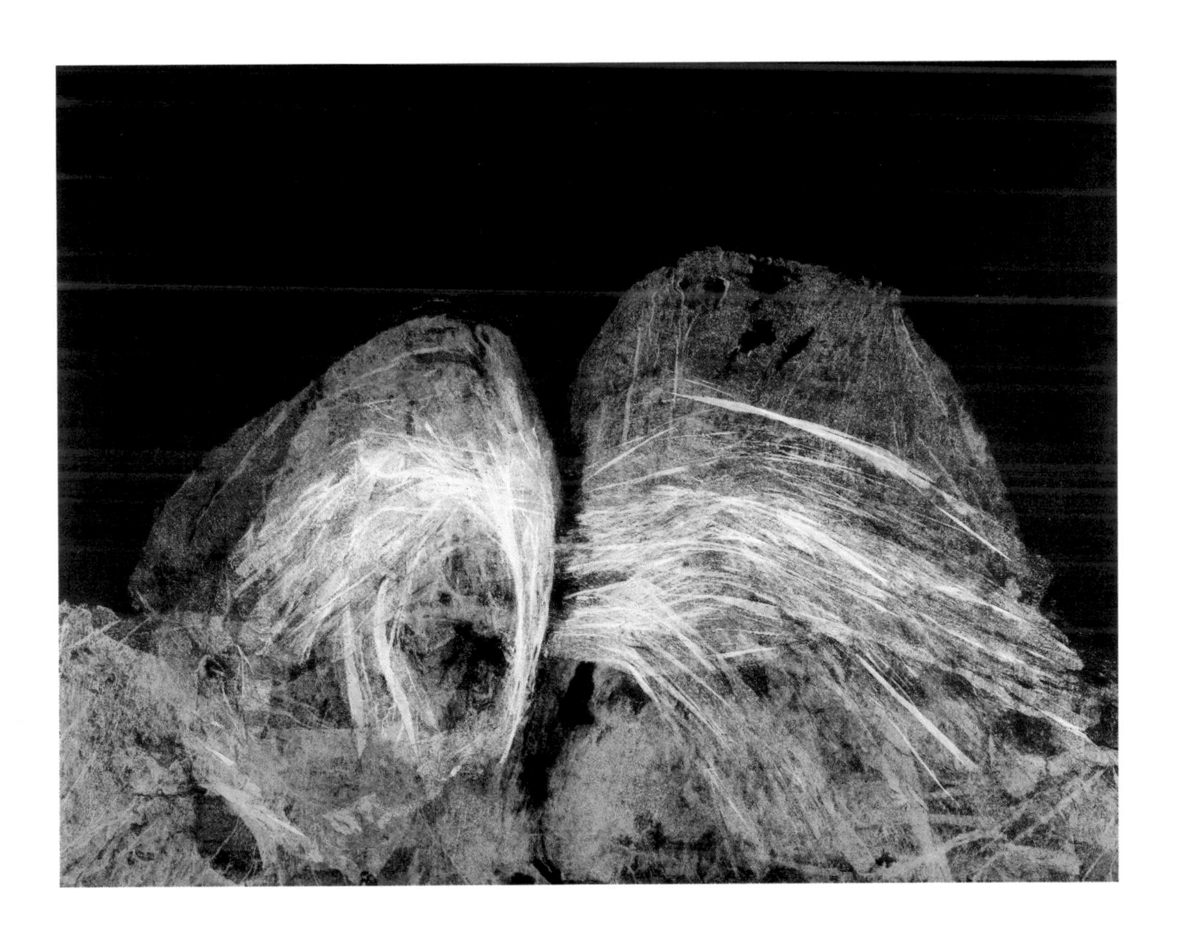

argumento, repetido por enésima vez, no era la razón principal del interés de la obra, sino sus cualidades plásticas y pictóricas, dibujo, color, composición, perspectiva, claroscuro, etc., que los manuales académicos enumeran, amén de las *calidades,* que nada tienen que ver con la imitación de brillos y texturas, esa diferencia en los empastes y pinceladas que caracteriza el estilo de los grandes maestros a partir del siglo XVI. La búsqueda de esas *calidades* es la principal ocupación de un artista actual, como Farreras; el tema o argumento literario de la obra ha desaparecido.

Ver pág. 80

Guinovart, Josep

Barcelona, 1927

La sensibilidad del artista moderno, como la de cualquier persona educada de nuestro tiempo, se ha formado en gran parte no en fuentes culturales de calidad, como literatura, ciencias o museos, sino en toda una subcultura callejera, la del tebeo, el cartel, la revista ilustrada, la foto-novela, la televisión, el recortable, la publicidad, el barracón de feria, el supermercado, el autobús, etc. Pudiera hablarse, como dijo Breton, de profanación de la imagen artística. El *Pop-Art,* el Nuevo Realismo, lo que Jouffroy, a propósito del sueco Fahlström, llamaba *actualismo,* quieren expresar esa estética *underground,* calificada de *mal gusto* por los académicos incapaces de saber lo que es el gusto, o séase el *sabor* de las cosas. Contra un arte incoloro, inodoro e insípido, se han levantado artistas truculentos, como Guinovart, que cuelgan los cuadros del revés, que recogen los papeles viejos de la basura, que reemplazan los materiales nobles por cartón y trapo, que renuevan, en fin, el grito de alarma del *Dadá* en la primera guerra mundial, tratando de hallar un anti-arte que sea el arte de hoy.

Ver pág. 26

Guinovart comenzó a trabajar hacia 1941 como pintor de paredes, es decir, que llegó a la pintura por abajo, por su aspecto más modestamente artesano y utilitario, más ligado a la vida cotidiana; sólo tres años después ingresa en la Escuela de Bellas Artes y en 1951 logra su aspiración de dedicarse exclusivamente a ser *artista pintor,* y con una modesta beca del estado francés puede asomarse en 1952 al movido ambiente de París. En 1955 funda el *Grupo Taüll* (nombre referente al pueblecito pirenaico donde se pintaron, hace ocho siglos, los murales más famosos de la pintura catalana) con Tàpies, Tharrats, Muxart, Cuixart, Jordi y Aleu.

En realidad, la pintura mural, es decir, la que crea un ambiente, un marco para la vida cotidiana, es lo que va a seguir interesando antes que nada a este antiguo pintor *de paredes.* En sus años mozos realiza numerosas pinturas parietales en edificios de Barcelona, así como no pocos decorados y figurines de teatro. Ello va a desembocar en sus trabajos de ambientación o decoración de interiores, siempre sorprendentes, cuya última muestra esperaba al visitante del pabellón de España en la Bienal de Venecia de 1982. En esas ambientaciones, como en sus trabajos para el teatro, como en sus ilustraciones, estampas y múltiples, el carácter fundamental de Guinovart es la combinación libérrima de heterogéneos materiales, que permite situarlo en la estela de un Kurt Schwitters, dentro de un vitalismo que no quiere separarse lo más mínimo de la hu-

SIN TITULO, 1964
Técnica mixta
50 × 60 cm.

milde, pero rica y variopinta, realidad circundante. Artista funambulesco, exuberante y excesivo, cuyas exposiciones, siempre espectaculares, jamás aburren, se revela en este cuadro *Sin título,* con sus compartimientos geométricos bajo el fortuito desgarrón (suerte de Gerardo Rueda llevado al mal camino por un Rauschenberg), como el más revoltoso y desencadenado de los *maestros* españoles del tiempo actual.

Chillida, Eduardo
San Sebastián, 1925

La exquisitez exigente de Chillida, ese ansia de concentración y de perfección que da a sus esculturas un aire majestuosamente grave, casi sagrado, se aprecia de otro modo, más íntimo y cercano, en sus grabados y, en particular, en libros como éste de *Le Chemin des Dévins,* sobre un texto poético francés de André Frénaud, autor también del poema *Menerbes* que completa el tomo. Es este último una reedición de un texto ya publicado anteriormente; pero respecto al *Chemin* cabría preguntarse (como en tantas ediciones ilustradas por grandes artistas contemporáneos) si la imagen sigue al texto, como es lo natural en las ediciones tradicionales, o si, al contrario, sobre una maqueta de libro con una colección de aguafuertes magistrales, el poeta ha sido requerido a posteriori. Lo apuntamos por la independencia absoluta que Chillida mantiene en esta obra maestra, desde su portada, surcada en relieve por unas líneas que fluyen paralelamente, como riachuelos, en el grueso papel blanco, hasta cualquiera de sus maravillosas ilustraciones al aguafuerte, de signos muy sucintos y no muy numerosos, pero de enorme expresividad, fruto de la amplia mordida, muy profunda, del ácido en la plancha, que les da al entintarlos en negro un tono casi aterciopelado, subrayado muy hábilmente por ciertas *esfumaduras* que los bordean, como si se hubiera corrido la tinta. Esos surcos se derraman o se encaraman en la página, que no es blanca, sino manchada por la plancha que, aunque lisa, ha recibido (al ser entintada, probablemente, con una muñeca) gran cantidad de puntitos, rayitas, pequeñísimos accidentes comparables con la porosidad de una piedra. Y ciertamente, tales aguafuertes se asemejan a las piedras blancas que Chillida embute de negro; y viceversa. Al pasar a la ilustración de *Menerbes,* la mordida del «agua regia» es mucho menor, y, por ello, también es menor el aspecto dramático de la estampación, que cabría comparar (ya que el papel del comentarista tiene mucho de traductor) con algunas cerámicas en dos colores del escultor donostiarra. Hay también alguna de esas manos cerradas constantes en el artista.

Objeto precioso este libro; su propia belleza pone en guardia a su dueño contra el uso abusivo. Tan admirable es su aspecto plástico que el sentido de sus textos pasa a segundo plano; incluso corren el peligro inminente de no ser nunca leídos, si ello exigiera abrir y manejar la edición. Con lo que el homenaje al poeta Frénaud, que esta obra maestra representa, casi consiste en impedir su lectura.

LE CHEMIN DES DÉVINS, 1966
Aguafuertes sobre textos de André Frénaud
38 × 32 cm.

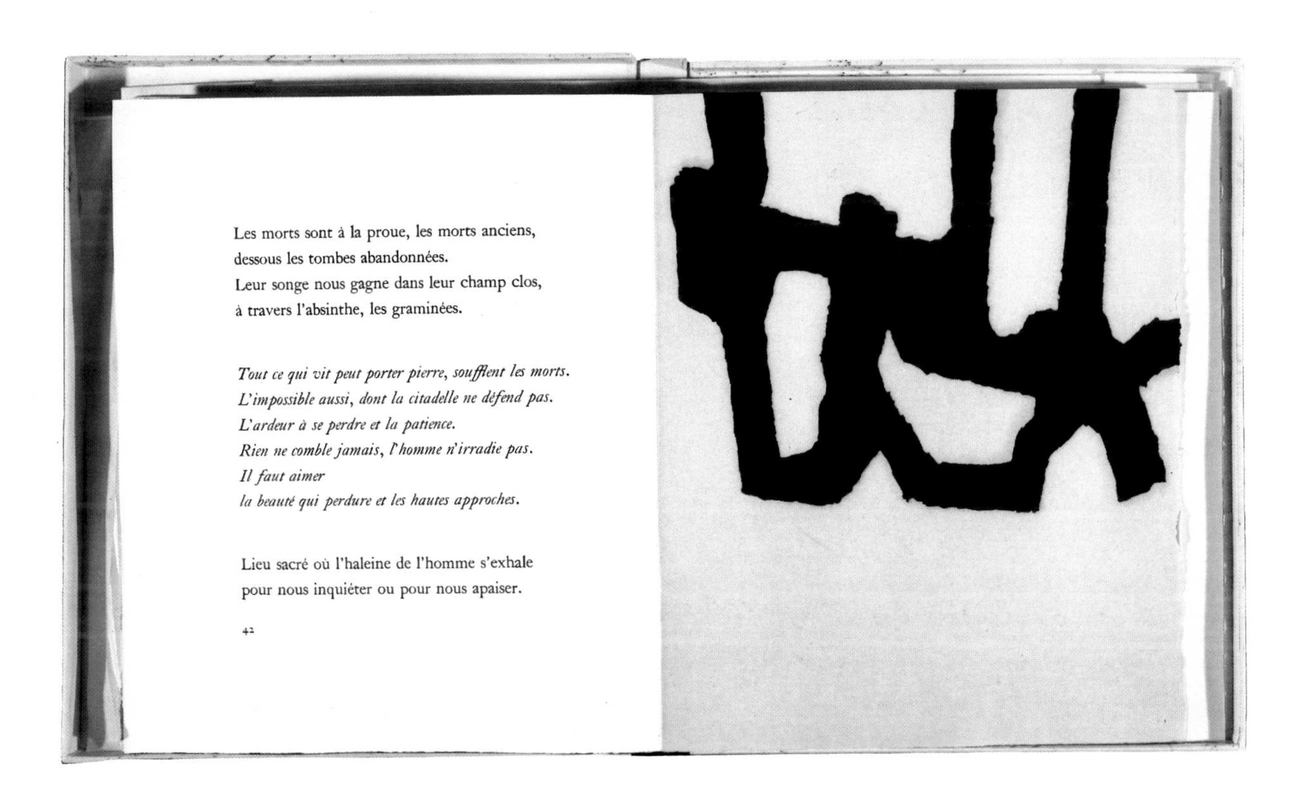

Les morts sont à la proue, les morts anciens,
dessous les tombes abandonnées.
Leur songe nous gagne dans leur champ clos,
à travers l'absinthe, les graminées.

Tout ce qui vit peut porter pierre, soufflent les morts.
L'impossible aussi, dont la citadelle ne défend pas.
L'ardeur à se perdre et la patience.
Rien ne comble jamais, l'homme n'irradie pas.
Il faut aimer
la beauté qui perdure et les hautes approches.

Lieu sacré où l'haleine de l'homme s'exhale
pour nous inquiéter ou pour nous apaiser.

42

Zóbel, Fernando
Manila, 1924

Ver pág. 123

Este cuadro, como la mayor parte de los pintados por Fernando Zóbel, merecen exactamente el calificativo de *abstractos,* pero nunca el de no-figurativos, ya que el autor parte de una visión normal de la realidad que lo rodea, en este caso un jardín seco, en otros un panorama más amplio (como en su famosa obra *La vista),* de los que va eliminando datos y detalles, hasta encontrarse, por así decir, al borde de la nada o, para ser más expresivos, de un vacío que evoca la infinitud del espacio-tiempo en que la visión real se inserta. Un pintor no puede pretender dar absolutamente *todos* los datos que sus ojos le ofrecen, en su relieve bifocal, en su movilidad ilimitada, en la memoria, infatigable. La visión de lo que nos rodea, en esa esfera perceptiva que en cada momento nos sumerge enteramente y que cada movimiento nuestro, por pequeño que sea, hace oscilar y variar sin descanso, es imposible. La pintura tradicional se basa, desde el Renacimiento (siglo XV), en la ficción (tan satisfactoria y *práctica* como la geometría euclidiana, pero no menos discutible en cuanto a su *veracidad)* de que el pintor observa con un solo ojo inmóvil un fragmento expresivo de su entorno. Sometido el universo a la observación a través de la cámara oscura, ya experimentada por tratadistas como L. B. Alberti, nos brinda un espectáculo ordenado, en el que las dos pirámides visuales de que nos habla Leonardo da Vinci (la que va de nuestra única pupila a los contornos de los objetos, y la que va de esos objetos a un punto del horizonte, situado al nivel de esa pupila, en el que todas las líneas de fuga de la perspectiva se juntan) nos permiten expresar con claridad y método esa *tercera dimensión* que la superficie del cuadro nos rehusa. El cuadro viene a ser, así, como un maravilloso escenario en el que situamos, según su cercanía, a los actores: algo así como el decorado corpóreo que el arquitecto Palladio imagina para el Teatro Olímpico de Vicenza, con sus calles y edificios partiendo de un centro que es el ojo del Príncipe, único para quien ese microcosmos funciona a la perfección. Pero no podemos pretender —como todavía hay quien sostiene— que sea la representación idónea y completa de un recorte del universo visual en cuyo seno vivimos. La fotografía —al menos en su aspecto primero de hija de la cámara oscura renacentista— no deja de ser, a su modo, engañosa, pues organiza el espectáculo exterior de acuerdo con unos principios de representación fija y sobre pantalla plana que poco tienen que ver con nuestra visión, bifocal, móvil y sobre la curva cóncava de nuestros ojos. El sistema de figuración usado en las academias es cómodo y expresivo, como toda fórmula unánimemente aceptada, pero no es totalmente idóneo ni, mucho menos, único. Otros pueblos, como los chinos o los bizantinos, han usado de otros sistemas para figurar el espacio tan satisfactorios como ése. Nacido en Oriente, educado en Estados Unidos, Zóbel ha elegido un camino que cabría llamar intermedio.

JARDÍN SECO, 1969
Oleo sobre lienzo
80 × 80 cm.

Ya hemos dicho que las zonas más claras y frías —en especial la que ocupa aproximadamente la mitad izquierda del cuadro, separada muy claramente de la derecha por un borde coloreado, o la de la parte inferior, algo más de un tercio de la extensión total en vertical, delimitado por una leve raya horizontal— evocan un espacio íntimamente unido al tiempo. La parte más concreta de la obra, que ocupa su parte superior derecha, es algo así como el fragmento que Zóbel registra en su memoria visual, como un recuerdo suyo de ese jardín, cuya sequedad se expresa a través de unas líneas que se cortan —las ramas— y de unas tonalidades amarillentas que las envuelven— las hojas. Es evidente que si Zóbel mirase el jardín seco en el momento de pintarlo, lo que vería no sería eso, sino un montón de datos ópticos en movimiento, a través de los saltos infatigables de cada parpadeo. Un paisaje a la antigua usanza o una fotografía podrían ofrecer al público unos cuantos datos que permitieran la aproximada identificación del lugar, pero jamás le darían ese mensaje de calma, de pureza, de hermosura un tanto elegíaca, esa concentración de sensaciones visuales y espirituales que Zóbel consigue con unas pocas rayitas y con unos colores difuminados.

PINTURA NÚMERO 100, 1962
Oleo y tierra sobre lienzo
116 × 81 cm.

Manrique, César
Lanzarote, 1920

César Manrique alude en este cuadro a las tierras volcánicas de su isla natal, Lanzarote, en sus tonos cárdenos y en sus erosiones quemadas, en sus cráteres y burbujas, petrificados recuerdos de antiguas erupciones, en un grupo de las cuales el artista se ha hecho una vivienda tan original como fascinante. Para comprender el sentido de las pinturas de Manrique hay que conocer su labor de ecologista y de arquitecto del paisaje lanzaroteño, cuya geografía torturada decidió transformar en un lugar lleno de seducciones turísticas, basadas precisamente en lo que se habían considerado sus defectos: la carencia de árboles y de ríos, los arenales de ceniza, las retorcidas rocas, todavía trémulas de lava interior, del Malpaís, las plantaciones de vides o sandías nutridas tan sólo del rocío, en las medias-lunas de tapiales carbonosos.

Enamorado de su isla, el pintor la lleva, concentrada, a cuadros que recogen sus aspectos más típicos. En *Pintura número 100* leemos claramente esa alusión aunque no conozcamos Lanzarote directamente. Nos hallamos aquí con un modo, a la vez visual y táctil (al menos en sugerencia, aunque no toquemos el cuadro), de acercamiento a un tema figurativo a través de lo abstracto. El artista ha tratado de conseguir, en el microcosmos de su obra, sin reproducir los perfiles o datos fotográficos del paisaje, una suerte de condensación de sus caracteres diferenciales, en el color —tonos ígneos y quemados, del rojo vivo al negro— y la textura —áspera, accidentada, erizada, seca, como si fuera efecto de una gran combustión. Cabe decir que el encarnado palpita en el cuadro como la vena de mineral en fusión en el seno de las tierras de Lanzarote. Lo que, a primera vista, pudiera parecer un tema decorativo se revela así el retrato de un lugar.

Ver pág. 25

Como tendencia, César Manrique se acerca aquí al llamado *Art autre* que llevó a muchos artistas, desde mediados de siglo, a buscar la expresión de la belleza no en la recopilación de datos visuales, reflejados en el cuadro como en una inspirada y personal fotografía, sino en la propia entidad de la pintura, en sus apelmazamientos y levedades, en sus protuberancias y surcos, en esa especie de *naturalidad* de una materia de aspecto vivo y nuevo, conseguida por procedimientos personales, como evocación de la materia natural. No es Lanzarote un lugar de relieves pintorescos y colores amenos; su retrato más fiel está en esos cráteres, en ese aspecto informe, petrificado en su momento de mayor violencia. Es lo que Manrique ha tratado de expresar con su cuadro titulado, sin mayores datos, como en un catálogo, *Pintura número 100.*

Guerrero, José
Granada, 1914

La formación de José Guerrero yuxtapone, en un breve período, las cuatro escuelas en que, sucesivamente, han ido educándose los pintores de la Edad Moderna: la de su propia ciudad natal, en este caso con la gran tradición que va de Alonso Cano a Rodríguez Acosta; Roma, en cuya Academia de España recibe las influencias del clasicismo renovado; París, donde estudia la técnica del fresco en la Escuela de Bellas Artes; por fin, Estados Unidos (gracias a una beca de la Graham Foundation), adonde llega en el momento de apogeo de la nueva escuela que Peggy Guggenheim dirige desde su neoyorquina galería *Art of this Century* a partir de 1955. Cuando llega Guerrero en 1958 se encuentra con ese prodigio de libertad que es el *Action Painting* o expresionismo abstracto, que consiste en situar al artista en una actitud de disponibilidad absoluta ante (o sobre) el lienzo, para atacarlo de una manera instintiva y violenta, centrando el interés del arte no en su producto (el cuadro), sino en la embriaguez del momento en que se produce tratando de eludir, en lo posible, las reglas de la razón y de la técnica. Esta pintura, mal llamada *gestual* (ya que en castellano, el gesto está más cerca de la mueca que del ademán, a que el calificativo foráneo se refiere), aunque aparecida de repente en la América de la postguerra, deriva de una tendencia europea de treinta años antes: el Surrealismo, uno de cuyos caminos, el de la *inmediatez,* consiste en dejarse ir a un estado casi sonambúlico, cubriendo el papel o el lienzo de signos o colores sin un preciso razonamiento previo, como hacía Joan Miró, muy influyente en el grupo del *Action Painting* y en particular, en uno de sus mejores representantes, Arshyle Gorky. Bastante constreñidos a lo académico hasta ese momento, los jóvenes artistas americanos se sienten absolutamente liberados de toda traba preceptista. Y como disponen de medios en general muy superiores a sus congéneres del Viejo Continente, pueden permitirse sin escrúpulos esa labor de introspección-extrospección por la que avanzan, más o menos a tientas, por el pasillo de la creación artística, hasta dar con un resultado cuyo posible fracaso no les cohibe en absoluto. Por lo demás, pronto se desarrollará entre la crítica, el comercio y las grandes empresas, todo un movimiento de panamericanismo, que hace hallar a los compradores un aire específicamente nacional en esos descomunales lienzos, instintivamente cubiertos de pintura.

Tal es el escenario donde Guerrero, acostumbrado a la parsimonia europea, a la escasez de medios granadinos, a los perpetuos arquetipos italianos, al racionalismo de la escuela francesa, ha de desenvolverse desde su llegada. Y lo consigue con el desparpajo propio del andaluz «universal», que le hace acreedor de un premio del Instituto de Arte de Chicago al año de su llegada. Tres años después será, él mismo, profesor de dibujo y pintura en una escuela de arte de Nueva York.

INTERVALOS AZULES, 1971
Oleo sobre lienzo
183 × 152 cm.

Ver pág. 100

En *Intervalos azules* (como en *Creciente amarillo),* Guerrero parte de una geometría muy simple y clara. Un marco azul, que contiene otro marco negro, dentro del cual hay un cuadrado azul, subrayado en negro arriba y abajo, sobre un fondo amarillento, forman como una repetición cromática y formal hasta cierto punto comparable con el cuadrado dentro de otro cuadrado a su vez dentro de otro cuadrado, de Josef Albers (representante en Estados Unidos del racionalismo de la *Bauhaus);* la indecisión de ciertos contornos —en especial el cuadrado azul, que queda lateralmente empapado en el fondo— pueden recordar asimismo los grandes rectángulos que parecen flotar sobre los fondos unidos de los lienzos del mágico Rothko. Hay también una división de esa zona azul, por medio de tres verticales blanquecinas, que crean campos análogos y distintos, que puede relacionarse con el modo de operar de Barnett Newmann. Pero Guerrero se sitúa en los antípodas de estos pintores, en primer lugar por su interés en que se adviertan desde el primer momento la *manifattura,* la gestación manual y no mecánica de la obra, muy dentro de lo que en Europa llamamos *estilo;* y, en segundo, por el tema desenfadado, casi humorístico, que le sirve de punto de partida, como en *Creciente amarillo:* una fosforera de estuche, con los fósforos (de rabos azules y cabezas negras) todavía sin desprender y a medio separar unos de otros (las rayas verticales), pegados en su parte inferior al raspador negro. Dentro de una obra de tan clásica construcción, de pronto nos topamos con una alusión a los diminutos *lujos* triviales de nuestro tiempo: a un tipo suburbano de cultura, que cabría calificar de *Pop Art.* Así considerado, este cuadro, de tan agradable presencia, es como una síntesis de varios movimientos.

Tàpies, Antoni
Barcelona, 1923

Este asombroso libro in-folio está editado por la Sala Gaspar de Barcelona en 1963. El ejemplar perteneciente a la Fundación Juan March no cuenta con los *collages* de otros; pero todo él es un estupendo *collage* ya que las litografías de Tàpies van estampadas y pegadas de mil maneras, unas veces en papeles espesos, casi secantes, otras en arrugados papeles de embalar, otras directamente sobre el magnífico papel de la casa Guarro, con la filigrana de la firma del pintor, otras en una hoja de cuaderno escolar, a veces en trozos rasgados, lacerados, irregulares: a veces en un sobre viejo. Hojear este tomo nos depara continuas y divertidas sorpresas, que evidencian la enorme imaginación creadora del pintor.

EL PA A LA BARCA, 1963
Litografías y collages sobre un texto de Joan Brossa
39 × 28 cm.

Entreverados con estas *ilustraciones* —que a veces se reducen a una mancha— van los textos del poeta Joan Brossa, no lógicamente relacionados con ellas, sino haciendo gala de su misma libertad, en un estilo falsamente ingenuo, muy barcelonés. Leemos variaciones sobre: *El cuadro está al revés / ara está be,* entre frases triviales y ocurrencias post-dadaístas. Poeta y pintor se sirven, mutuamente, de *répoussoir.* Pero lo que guarda nuestra memoria visual, más que las irónicas tipografías y los versitos aparentemente de almanaque, son los hallazgos plásticos, a la vez muy simples y muy refinados, de Tàpies.

LA ESCALA DE JACOB, 1968
Assemblage con metacrilato traslúcido
177 × 117 cm.

Torner, Gustavo
Cuenca, 1925

Este cuadro aparentemente abstracto repite uno de los temas sacros más usados por la pintura figurativa tradicional, especialmente en la era barroca, *La escala de Jacob,* basado en el Antiguo Testamento *(Génesis,* 28, 1-12): *Jacob salió de Berseba con dirección a Harán. Cuando se ponía el sol, llegó a un lugar donde se dispuso a pasar la noche, y poniendo como cabecera una de las piedras que allí había, se acostó. Y soñó que veía una escala apoyada en la tierra y cuyo extremo superior tocaba los cielos y por ella subían y bajaban los ángeles de Dios.* Entonces le habla Yahvé, afirmando que la tierra en que Jacob se halla acostado será para él y su descendencia; al despertar, el durmiente declara aquel lugar casa de Dios y puerta del Cielo y erige, como señal, la piedra que le ha servido de almohada *(id. ibid.* 13-19). Este tema del pacto divino, que se repite en varias ocasiones, en ninguna tiene el aspecto espectacular de esta *Escala de Jacob,* lo que explica su éxito entre los pintores de antaño. Entre las versiones españolas destacan las de Murillo (Museo del Ermitage) y Ribera (Museo del Prado); la primera es un paisaje con figuras, en cuyo centro se yergue una escala de madera, muy real, por la que suben y bajan ángeles muy corpóreos, al pie de la cual duerme el patriarca; pese a la luminosidad de ese centro, Murillo no alcanza el tono difuso, de suave luminosidad, de cuadros posteriores. El cuadro de Ribera, fechado en 1639, mucho antes de que Murillo (nacido en 1618) pintara el suyo, resulta, como idea, más moderno. La figura robusta del durmiente ocupa gran parte del terreno pintado, y se recorta sobre un cielo luminoso por el que desciende, a modo de *Vía Láctea,* una cascada de luz, en la que entrevemos apenas figuras angélicas, hasta iluminar la cabeza de Jacob, como si fuera en ella —en su sueño— donde el prodigio se realiza. Este es el punto de partida de Gustavo Torner, que nos presenta un trapecio luminoso que se estrecha hacia la parte superior del cuadro, dividido en bandas horizontales (los peldaños) por líneas cada vez más difusas, hasta casi perderse en la cima. No hay figuras dentro de esa luz, pero podemos imaginarlas desleídas en ella, en un grado mayor que en Ribera. Como en otras obras de Torner de esta época, lo que vemos no es directamente la pintura, sino lo que de ella se trasluce a través de una pantalla de metacrilato, lo que aumenta poderosamente la impresión evanescente apropiada para una visión onírica de este tipo, y le añade un misterio casi religioso. Es notable cómo este artista sabe plasmar con elementos simples y técnicas muy actuales obras de una profunda espiritualidad.

NÚMERO 396, 1964
Oleo y materia sobre lienzo
60 × 65 cm.

Lorenzo, Antonio
Madrid, 1922

Ver pág. 39

La evolución de la carrera de Antonio Lorenzo parece ordenarse desde un estallido expresionista abstracto (del que es buen ejemplo el *Número 326)* a una articulación cada vez más concreta y geométrica, a un relativo regreso a la figuración, en especial en sus obras gráficas, en las que luce simultáneamente su admiración por los medios tecnológicos que permiten explorar el espacio infinito y su desdén sarcástico hacia el maquinismo. En cierto momento esas dos corrientes aparentemente contradictorias se unen para atacar la tecnología bélica. Es entonces cuando anima, a comienzos de la década de los setenta, la actividad estampadora del *Grupo Quince,* de Madrid, pionero de un florecimiento de la estampa original que podemos apreciar en los ochenta.

En su cuadro *Número 396* se puede notar una energía que subsiste de las explosiones primeras de color; pero también un deseo de ligar, de relacionar, de articular, de subrayar las formas. En una dominante ocre verdosa, entreverada de amarillo y blanco, el espacio del cuadro está cruzado por una banda horizontal, de espesa materia, que queda cortada en una multitud de manchas aproximadamente cuadradas. Es difícil evitar la impresión de que esas manchas son el producto del choque entre ambos fragmentos, bicolores, de la citada banda horizontal, aunque también pudiera tratarse de la desintegración de su materia, de una suerte de destrucción autógena que derrama esos fragmentos hacia el suelo. En uno como en otro caso, el fragmento blanco sucio de la repetida banda parece ser el que posee mayor energía, el que *avanza* contra el negro. ¿Por qué razón?: En primer lugar, por ser el trozo más largo, es decir el que parece haber conseguido avanzar más en esa composición que es como un choque de fuerzas; pero también por ser el que sale del lado izquierdo de la tela. No debemos olvidar que, por nuestra costumbre al leer los textos de nuestros escritos comenzando por la izquierda, hemos tomado el hábito de recorrer los cuadros de izquierda a derecha, por lo que, al mirar este *Número 396,* nuestra mirada acompaña y casi *empuja* a esa zona blanca hasta chocar con su opuesta, que, por las mismas razones, más que un avance propiamente dicho, significa una resistencia, una oposición casi inmóvil. En este a modo de fleje o biela se va afirmando ese referido instinto de lo articulado y móvil, que en obras posteriores —en especial en sus grabados— llevará Lorenzo a los mayores refinamientos.

Muñoz, Lucio
Madrid, 1929

Ver pág. 25

En el comentario al cuadro *Estructura verde y negra* de Lucio Muñoz, se hace referencia a su formación y contacto en París con las corrientes del llamado *Art autre,* que basa lo fundamental del lenguaje pictórico no en un juego de colores superficialmente colocados sobre el lienzo, sino en la propia calidad del soporte, en sus materiales, relieves, brillos u opacidades, aspectos frágiles o duros, flexibles o tensos, pétreos o blandos, rechazando la idea de que haya materiales nobles por naturaleza y otros que no lo sean. Se apuntaba que el movimiento dadaísta recuperó para el arte todo ese material de desecho. En el *Manifiesto Realista,* publicado en Moscú por los hermanos Pevsner y Gabo en 1920, se rechazaba el color como elemento esencial de la pintura y se reemplazaba por una idea vaga de tonalidad que, posiblemente, respondía a lo que hoy llamaríamos *calidad.* Es palabra asimismo ambigua, a menudo empleada a destiempo, por quienes no sienten (de una manera absolutamente sensual) la diferencia entre un cuadro enriquecido por sus materiales diversos, con aspectos naturales unas veces, de total novedad en otras, y el que pretende *engañar* por medio de la vista, como hacían (con todo derecho, por supuesto) los pintores de las Academias cuando mentían los reflejos de las sedas, de los metales, del vidrio, asumiendo aparentemente las calidades de esos materiales. Habría, pues, que distinguir, entre un cuadro que aparenta las *calidades* que definen los objetos (con el pincel se imitan a maravilla, como hacen por ejemplo Memling o Van Eyck, las pieles, las telas, las maderas, las piedras, los metales, pero sin que ello se advierta en el modo de aplicar la pintura, que es uniforme) y otro que busque en sí mismo otras *calidades* (por ejemplo, cuando Rembrandt pinta *Los novios judíos* a base de apelmazar la pasta pictórica como una laca, por medio de la espátula, sin tratar de conseguir una imitación óptica más engañosa de las telas de sus trajes, sino de expresar su emoción estética a través de esa materia nueva, existente en sí misma, sin imitar nada). En nuestro tiempo somos muy sensibles a este segundo aspecto de la *calidad,* mientras que hace un siglo lo eran mucho más al primero (lo que no significa que virtuosos del pincel, como Fortuny, expertos en la imitación óptica, no consiguieran, además, una materia rica y nueva en su pintura). Lo somos hasta el punto de que ya el óleo no nos parece suficientemente expresivo y pedimos ayuda a los materiales de desecho redimidos por el *Dadá.*

Ver pág. 26

Eso hace Lucio Muñoz en esta magnífica *Ventana.* ¿Pintura o escultura? ¿Figurativa o abstracta? Todo al mismo tiempo. La poesía, algo decadente, de la ruina, cultivada por los pre-románticos del siglo XVIII (como Hubert Robert, que imaginaba en ruinas hasta la gran galería del Louvre donde se exponían sus propios cuadros, eso sí, pintada con todo cuidado), parece superficial comparada con esta asimilación de la ruina por la obra artística. Como en otras ocasiones, Lucio se vale de maderas viejas, con toda la belleza y

LA VENTANA, 1963
Collage y óleo sobre madera
230 × 190 cm.

la expresividad de un material en que, de la cuna al ataúd, se encierra la vida humana. Con ellas crea los postigos de una ventana, cerrada desde hace acaso siglos, porque sobre ella se han ido acumulando, adhiriendo ¿qué? ¿hojas? ¿barro de la lluvia? ¿ruinas o detritus? El aspecto elegíaco de esta *Ventana* se debe a la *calidad* de los materiales, que le dan una presencia casi angustiosa, como de historia de Edgar A. Poe. Si la imagináramos correctamente pintada, al estilo académico, jamás nos impresionaría de modo tan directo, aunque el pintor empleara los más lúgubres tonos de su paleta.

Chirino, Martín
Las Palmas de Gran Canaria, 1925

Martín Chirino realizó, hacia fines de la década de los sesenta, varias obras que agrupó bajo el nombre o denominador común de *Afrocán,* que evoca remotos ritmos del Continente Negro, y entre las que algunas, como ésta, están dedicadas al tema de *El viento.* Este título aplicado a una escultura en forma de barra de hierro retorcida en espiral subraya su aspecto de ideograma: un hombre primitivo, de una tribu africana o guanche, si tuviera que expresar por un signo el fenómeno del aire en movimiento (que ha experimentado muchas veces sin llegar a explicárselo satisfactoriamente, y conoce su extraña facultad de girar sobre sí mismo hasta formar un torbellino en que alcanza el máximo poder destructor) es posible que dibujara una espiral como ésta.

Realizado en hierro, este objeto posee la fuerza primitiva de los utensilios de culturas aborígenes. Se trata de una forma elemental, pero sofisticada, en la que la línea, partiendo de un punto central, se expande en un incontenible esfuerzo centrífugo, con una regularidad en las relaciones progresivas de cada vuelta que ha hecho de ella un tema decorativo muy usado, antaño y hogaño, en las artes populares, especialmente en alfarería. Pero Chirino ha querido subrayar ciertas desigualdades de nivel para que esta barra conserve su poderosa sugestión de haber sido torcida con esfuerzo en una fragua tradicional, sin intervención alguna de las máquinas. Señalemos que el mismo escultor, en otras obras, como la colocada en el Museo de Escultura al aire libre del Paseo de la Castellana, en Madrid, siente, en cambio, el deseo de expresar la belleza de la impersonal perfección de acabado de los objetos industriales, propios de nuestro tiempo, en parti-

EL VIENTO, 1966
Hierro forjado
Diámetro 56 cm.

cular de aquellos en que la idea del espacio que ocupan evoca el desplazamiento de un vehículo, de un avión, del *viento,* al fin y al cabo, en su expresión contemporánea. Pero aquí ha querido acentuar lo trabajoso y difícil de la actividad del ser humano en los albores de la cultura del metal.

Lo que pudiéramos definir como *regularidad-desigual* de esta espiral nos trae a la memoria sensible ciertas conchas y caracolas, en especial aquellas cuya forma se ha perpetuado en piedra a través de la fosilización; todo ello sigue muy dentro de la propia experiencia de Chirino, nacido en una isla, acostumbrado a manejar desde la infancia todas las formas regularmente-irregulares que el océano ofrece.

No hay que olvidar que esta forma de espiral metálica es la de los más tradicionales resortes, como la de los relojes. Sabemos que la torsión infligida a una barra antes recta (al menos, idealmente) está generando sin descanso una fuerza poderosa, un *deseo* de volver a aquella forma, que la empapa de energía potencial. De este modo, Chirino concilia en un objeto simbólico y estético, aparentemente somero, lo más antiguo y lo más moderno, lo material y lo inventado.

Rivera, Manuel
Granada, 1927

La palabra *espejo* es usada a menudo por el artista granadino Manuel Rivera en los títulos de unas obras que hay que calificar de cuadros, aunque ofrezcan las tres dimensiones de la escultura. *Espejo del sol* es una de ellas y se compone de un fondo pintado en tonalidades rojizas, sobre el que están clavadas rejillas metálicas, también pintadas en tonos semejantes, superpuestas, con un ligero espacio entre ellas, de modo que, al moverse el espectador, produzcan, por las variaciones que ese movimiento impone en los puntos de cruce de sus alambres, una impresión de *moaré,* de aguas, con un fundamento parecido al de las obras de Sempere. Sería, pues, justo clasificar a Rivera como artista cinético, cuando menos del cinetismo *quieto* o *ilusionista* que presta movimiento óptico a una obra que, en sí misma, no se mueve. Pero hay que acentuar en gran parte de sus obras, como ésta, una actitud de pintor al jugar con el colorido, y no un color uniforme o industrial (como pudiera ser el de los contrastes positivo-negativos de la escuela de Vasarely, pionero del *Op Art),* sino un color modulado en tonalidades y valores propios de la pintura-pintura. Al colorear sus rejillas y los fondos sobre los que las dispone, al estudiar sus efectos de luces y sombras móviles, está en una esfera totalmente pictórica y el hecho de que su obra sobresalga del muro no le da carácter de escultura: hasta cierto punto, esas rejillas pudieran compararse con los elementos añadidos y las trabajadas texturas de la pintura del *Art autre.* Ello no le impide destacar en alguna obra (como el mural realizado para el aeropuerto de Barajas, en Madrid) valores escultóricos.

Ver pág. 25

Se llaman *espejos* por ese fondo de reflejo y de misterio que tienen los viejos espejos azogados, cuyo *mundo* no parece ser el mismo del mundo exterior, y que nos devuelven la imagen cotidiana, pero transformada, poetizada, alejada, como si estuviéramos a punto de entrar *through the looking glass,* como la *Alicia* de

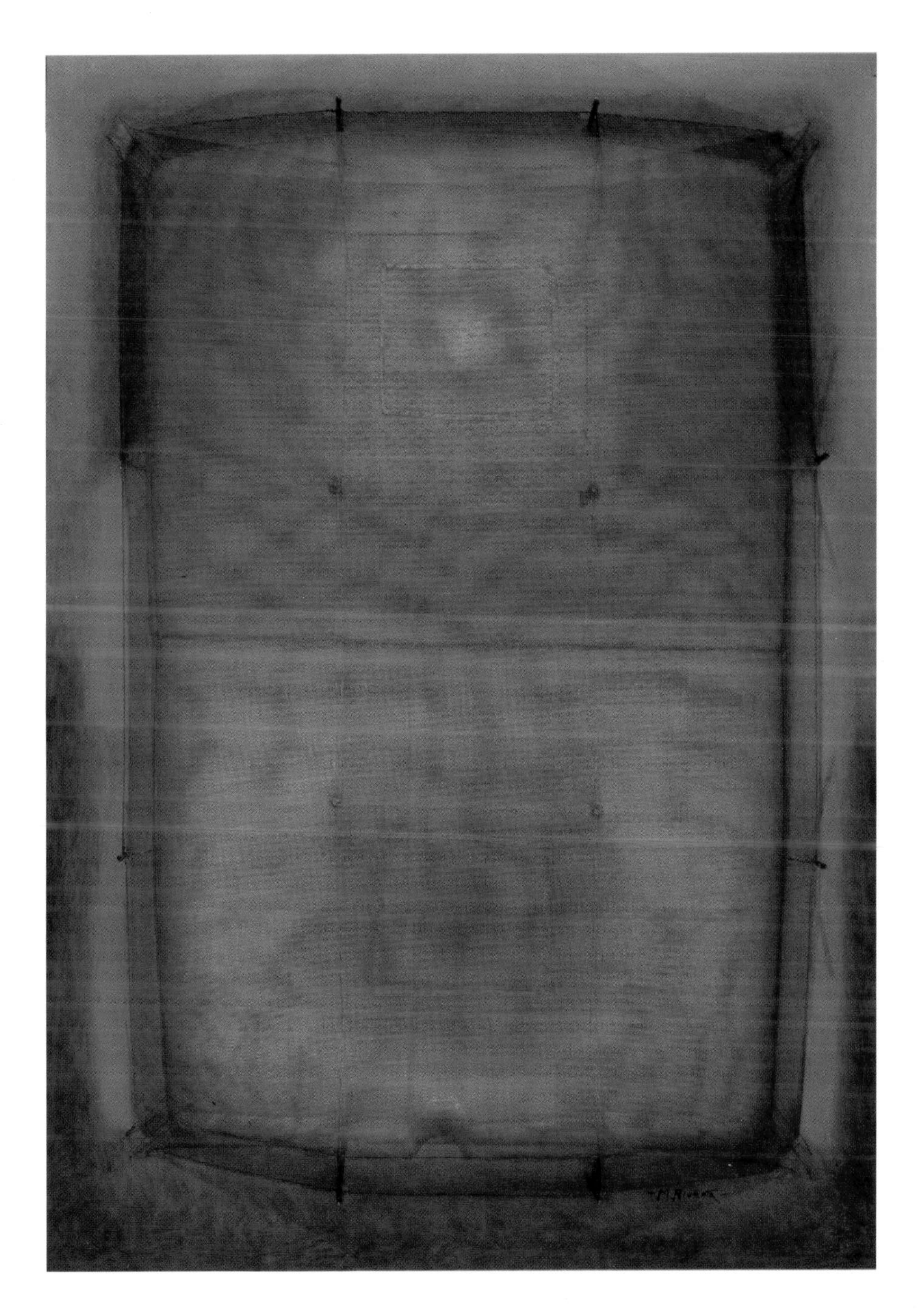

ESPEJO DEL SOL, 1966
Tela metálica pintada sobre tabla
162 × 114 cm.

Lewis Carroll, en un universo onírico del que fueran la puerta. Granada es una misteriosa ciudad de espejos y espejismos: espejos de agua, en sus innumerables fuentes y estanques, espejos de vidrio azogado en las sacristías y camarines de sus iglesias barrocas, que nos mienten espacios ultraterrenos, realizados con muy sencillos materiales: pienso por ejemplo en el camarín de la Virgen del Rosario, en la iglesia de Santo Domingo, todo espejos como un pabellón ilusorio a punto de desvanecerse. Con el espejo, Rivera combina la rejilla, la celosía, tema permanente en esa ciudad mora y cristiana, al que el artista priva conscientemente del lujo de sus materiales (bronce, cedro, hierro forjado y dorado, incluso plata) para darle la dimensión humilde y entrañable de los jaulones de perdices o palomas, de los gallineros del Sacromonte. Es un puro efecto, de hondo lirismo granadino, realizado con los medios más humildemente artesanos.

Este *Espejo del sol* merece, todavía, alguna consideración suplementaria, que lo sitúa en una esfera contemporánea, distinta a las dos indicadas, del *Op Art* y del *Art autre*. Las escarpias o alcayatas que sostienen las rejillas sobre el fondo delimitan un recinto, aproximadamente rectangular, suavemente separado de aquél por un a modo de marco de aspecto blando, que corrige lo que pudiera tener de agresivo el material usado y la forma geométrica. Ese rectángulo está dividido por una línea horizontal, intersección de las dos zonas de alambre que lo forman, en otros dos rectángulos, casi cuadrados, en el centro de los cuales nos parece avizorar otro cuadrado. En la parte superior es un cuadrado rojo claro sobre un campo más oscuro; en la parte inferior es, al contrario, cuadrado oscuro sobre fondo claro. Pero todo ello impreciso, fugitivo, cambiante, empapado de tal modo en tonos cálidos (de sol) que, de repente, nos trae a la memoria la forma en que Rothko, el genial colorista americano, *corrige* la geometría (cuadrado dentro del cuadrado) de su antecesor Albers, para devolver al cuadro su espiritualidad.

Palazuelo, Pablo
Madrid, 1916

Sobre unos poemas franceses de Max Hölzer, pero sin apartarse un ápice de su propio estilo, Pablo Palazuelo ha ejecutado ocho grandes aguafuertes en relieve blanco sobre negro, que en el ejemplar de esta edición de Maeght, París, 1792, que posee la Fundación Juan March, van acompañados de una *suite* o colección de las mismas planchas tiradas en blanco, es decir, con las líneas o quiebras en relieve sobre un fondo perlado, de enorme refinamiento y belleza. El título latino *Lunariae* nos hace pensar en un nocturno entreverado, quebrado: negros como resquebrajados en grietas blancas, como si la noche se rajara en claridades de relámpagos, como si la misteriosa piedra lunar descubriera su luminoso tesoro interno en vetas zigzagueantes que siguen el irregular trazado de ángulos obtusos que tanto gusta a Palazuelo.

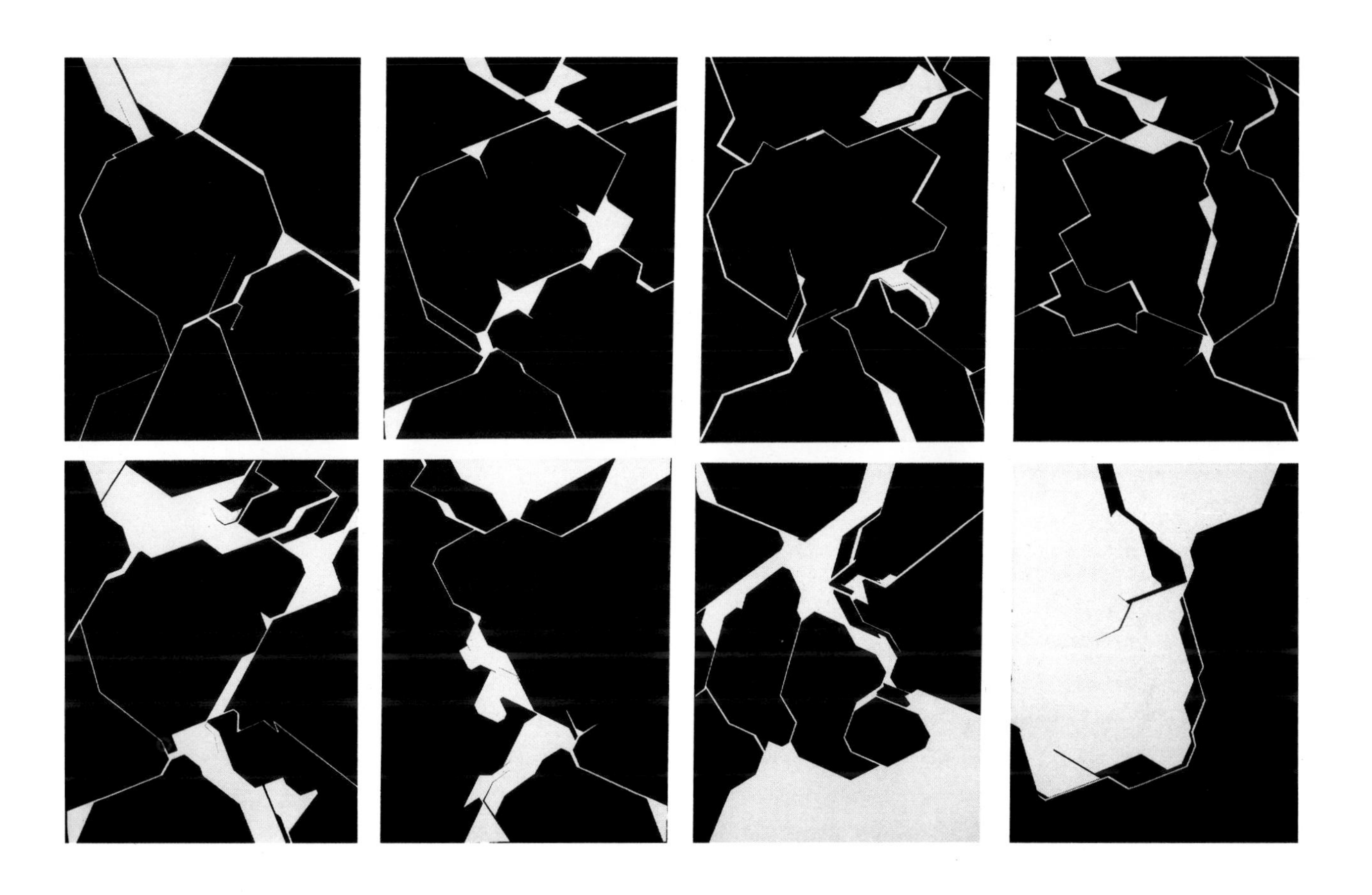

LUNARIAE, 1972
Aguafuertes sobre un texto de Max Hölzer
68 × 52 cm.

Los poemas, en versos libres, suelen tener un fondo paisajístico, como por ejemplo: *La lune blanche-noire / passe, / miroir qui dissout / l'identité de moi-même / et son ombre. / Grâce / de mon temps prompt (La luna blanquinegra / pasa, / espejo que disuelve / la identidad de mí mismo / y su sombra. / Gracia / de mi tiempo dispuesto).* Las láminas, de negro aterciopelado, se hermanan fácilmente con esos breves poemas, que concluyen con los dos versos siguientes: *L'éclair dans le sang et les rameaux de l'arbre / écrivent une croix vivante (El relámpago en la sangre y las ramas del árbol / escriben una cruz viviente).* Cabe preguntarse la cuestión de precedencia que suele plantearse en estas ediciones de artistas: ¿Fue el texto punto de partida de los ocho aguafuertes abstractos? O, al contrario, ¿fueron éstos los que inspiraron al poeta?

Rueda, Gerardo
Madrid, 1926

El arte de Gerardo Rueda es un excelente ejemplo del olvido en que han caído las distinciones entre las artes plásticas, pintura, escultura y arquitectura. Suele utilizar, en vez de lienzos, paneles de madera, en los que se marcan en relieve campos o espacios geométricos de contornos rectilíneos, con evidente raigambre arquitectónica. El color, o es aplicado liso y sin modular, para crear contrastes positivo-negativos, o sencillamente cubre uniformemente la madera, como en el caso de esta *Gran pintura blanca,* que, tanto por su tamaño como por su sobriedad, evoca un muy bajo relieve, casi una de esas refinadas y ligeras desnivelaciones que en el patio vecino a la gran pirámide de Sakhara imprimieron en las fachadas arquitectos del antiguo imperio egipcio.

La composición se divide en dos partes iguales, a manera de díptico, sistema de presentación y composición que, desde su primer momento de esplendor —los dípticos consulares del bajo Imperio romano, hechos de dos tablillas de marfil, esculpidas y grabadas—, tuvo ambigua relación con la pintura y la escultura. Los motivos en relieve de cada una de esas dos hojas son, en la *Gran pintura blanca,* exactamente simétricos. Se parte de dividir ese espacio en zonas que se reflejan exactamente en la zona opuesta, de modo que si cerrásemos ese par de hojas, sus motivos coincidirían exactamente. Toda la composición arranca así como de un núcleo que, por analogía a las plantas, cabría calificar de dicotiledóneo, formado por dos rectángulos, casi cuadrados, en la parte superior, en relieve algo más alto que el resto, que parecen abrirse, como un libro, sobre la fina línea horizontal que los soporta. Ese motivo de la doble página abierta se repite ocupando la composición de arriba abajo y destacando, muy ligeramente, sobre las dos bandas de los lados que, al quedar más hundidas, hacen el papel de fondo. Todo ello, en su pura sencillez, ha de estar basado en una realización impecable, de la que todo temblor de la mano ha huído. Es una construcción que parece realizada por una máquina: una máquina, eso sí, pensante y reflexiva, de gran sensibilidad.

Es interesante observar que, dentro de la similitud que pueda haber entre artistas aproximadamente de la misma época, de la llamada Generación Abstracta Española, recogida pocos años más tarde en el Museo de Cuenca (semejanzas que ya comienzan a saltar a la vista, incluso entre artistas de posiciones en aquel momento muy distintas, y que se afirmarán más, a medida que el tiempo vaya pasando, hasta constituir un *estilo temporal)* el concepto del arte de los cofundadores de ese Museo se revela todavía más unísono, dentro de sus normales diferencias de temática, técnica y estilo. Zóbel, Torner y Rueda son, en su arte, arqui-

GRAN PINTURA BLANCA, 1966
Oleo y acrílico sobre madera
162 × 260 cm.

tectos-escultores-pintores, todo en una pieza, que materializan unas ideas plásticas o líricas largamente contempladas antes de su realización. Esto da a sus obras un denominador común de equilibrio y de sobriedad, que se aprecia incluso en su modo, admirable, de adecuar el viejo edificio de las Casas Colgadas para marco del arte de dicha generación.

Feito, Luis
Madrid, 1929

Ver pág. 33

Esta pintura, titulada, según costumbre de su autor, con el número de su catalogación, pertenece a una época evidentemente posterior a la que lleva el *Número 148* en la que dominaban negros, blancos y grises, dentro de una gran suavidad de valores. En este *Número 460-A* hay un contraste radical entre el amarillo fuerte del fondo, la gran mancha negra que invade el lienzo y el círculo rojo, del que parecen brotar rayos o salpicaduras. En cierto modo seguimos en un mundo solar; pero lo que en el *Número 148* sugería un celaje, con un astro escondido entre las nubes de un firmamento diáfano, en el *Número 460-A* es como un esquema casi ideográfico. Tenemos las imágenes del sol, de la nube, del firmamento luminoso, pero ha desaparecido la *tercera dimensión:* el cuadro es plano, no trata de hacernos creer que nos estamos asomando por su marco a una supuesta *visión* de la realidad. El cuadro es lo que es: un signo —que pudiera hacernos pensar en la espontaneidad cultivada por los calígrafos chinos o japoneses— que traduce un fenómeno físico o anímico a la nueva realidad del arte.

Además del sacrificio de las medias tintas, asistimos, pues, en este cuadro (de una época del pintor que cabe calificar de intermedia) a la simplificación y clarificación de las formas. Consciente o inconscientemente, el pintor va aproximándose a lo geométrico. La mancha roja —llamémosle *sol*— está situada, con un leve desvío hacia la izquierda, compensado por la mayor cuantía de la mancha negra hacia la derecha, en el centro de la composición. El hecho de que esté *caído* queda equilibrado por el penacho de rayos o pinceladas que se dirigen a lo alto. Pese a lo aparentemente casual de la mancha negra sobre la que se recorta, incluso en relieve, ese *sol* está rodeado de un círculo o halo negro. De esa mancha central salen dos prolongaciones laterales, semejantes a las alas de un edificio neoclásico surgiendo de la rotonda principal. Todo este comentario puede parecer aventurado y acaso lo sea; aunque no ha de olvidarse que Feito comenzó su carrera como profesor de dibujo de la Escuela de Bellas Artes de San Fernando en Madrid. Trata, de cualquier modo, de explicar en lo posible la impresión de equilibrio ordenado que esta composición, aparentemente casual, puede producir en el espectador. Fácil es comprobarlo si colocamos (mentalmente o en una reproducción) el cuadro en una posición que no sea la debida. Nos percataremos de que el negro pesa, va hacia el fondo del diáfano amarillo, alimentado por el estallido compacto del rojo saliente. Amarillo y negro son zonas de color que se reparten el lienzo, como si fuera un mapa; pero el rojo es como una enorme gota de lacre que hubiera caído encima. Se juega aquí, a la vez que con el cromatismo simple y violento, con unas *calidades* no menos sucintas.

NÚMERO 460-A, 1963
Oleo y arena sobre lienzo
89 × 115 cm.

Ver pág. 72

¿Cuál ha sido la intención del pintor al crear este signo plástico? ¿Se trata, efectivamente, de una traducción de un fenómeno de la óptica celeste? O ¿no será más bien el efecto de una casi absoluta inhibición ante la tela, una situación de vacío y disponibilidad, semejante a la de ciertos *expresionistas abstractos* americanos —pensemos en Kline, en Motherwell— cuyas vivencias y saberes afluyen instintivamente hacia la mano en cuanto ésta se libera, en lo posible, del raciocinio del cerebro? ¿Se tratará, a fin de cuentas, de una sublimación de la oscura fuerza del deseo?

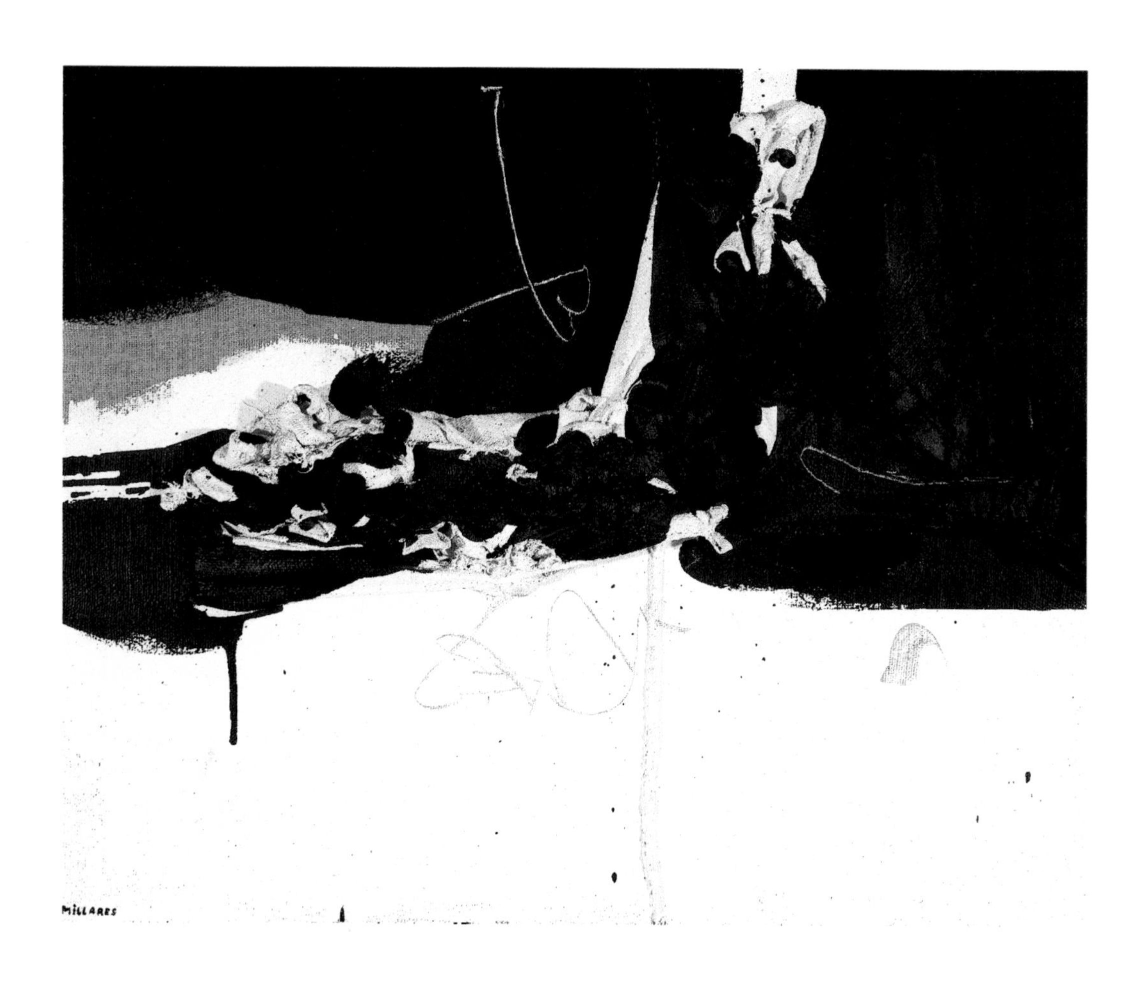

GALERÍA DE LA MINA, 1965
Arpillera y pintura
80 × 100 cm.

Millares, Manuel

Las Palmas de Gran Canaria, 1926 - Madrid, 1972

Este cuadro emplea, con la autoridad que su autor es capaz de darle, la mancha negra destacando sobre el fondo blanco. No se trata de un tradicional *claroscuro,* como pudiéramos encontrar en una caverna de Ribera (pensemos en cualquiera de sus santos ermitaños del Museo del Prado), sino de un contraste neto de la zona oscura *sobre* la zona clara, más cercano a una composición tipográfica o de grabado. Goya en sus dibujos a pincel y aguatinta suele emplear esos contrastes brutales entre el día y la noche, entre la silueta y el vacío; aquí los hallamos en un lienzo, tan *lienzo* que su contextura forma como una cortina arrugada en la parte superior de la obra, la parte dominantemente negra, con algunos manchones blancos y una escapada ocre, que parece dejar asomar el simple fondo de la tela, de grano grueso. Junto a esa materia textil que se asoma, produciendo cierto alivio, entre esos blancos y negros a borbotones, hay un grafismo trazado sobre el negro, como un signo indiscreto en una pared oscura. Ese arabesco, blanco sobre negro, se corresponde aproximadamente con otro grafismo o *pintada* en gris sobre blanco, de la parte inferior, escasamente maculada por unas motas o escurriduras negras caídas del pincel y que contribuyen, además de a señalar el carácter *casual* e improvisado de la pintura, libre de toda asfixiante reglamentación, a dejar bien definido que lo que cuelga, lo que está encima, lo que amenaza desmoronarse sobre lo blanco, es lo negro. No podemos invertir la posición de esta obra sin atentar gravemente a su intención, que es la de figurar una caverna. De aquí su nombre, *Galería de la mina.* La galería, donde se circula con cierta libertad, es la parte blanca, sobre la que se apelmazan los bullones oscuros. La palabra *mina* puede emplearse no sólo como lugar de extracción de un mineral, sino como subterráneo que hace comunicar el exterior con el subsuelo. Así se usa en el lenguaje bélico (minas y contraminas, terreno minado) o, más apaciblemente, en la ingeniería hidráulica. En este caso, creemos que no hay que buscar un sentido preciso, sino sencillamente, la idea de galería abierta bajo un terreno opaco y espeso.

Millares usa aquí sus medios técnicos peculiares: las telas de saco o arpilleras, embadurnadas de pintura gruesa, blanca o negra, acompañadas de algunos grafismos lineales. Estilísticamente, ello pudiera incluirse en la corriente, a la vez expresionista y materiológica, propia de las vanguardias más exigentes de los sesenta.

BÓVEDA, 1966
Bronce con pátina
Altura 81 cm.

Serrano, Pablo
Crivillén (Teruel), 1910

La peor dicotomía a que las artes plásticas someten la sensibilidad del observador es la de situarse en una esfera alejada (cuando menos aparentemente) del tiempo en que el ser humano vive y siente. Así como las artes del tiempo, como la poesía, la danza, el teatro y sus consecuencias, desde el cine a la televisión o el video, y en especial la música, se acomodan al paso del hombre y lo siguen momentáneamente en su devenir, insinuándose en su más honda realidad, la pintura y aún más la escultura tradicionales parecen despreciarlo, refugiadas en un espacio que se pretende invariable y eterno del cual el público parece excluído. ¿Quién no ha sentido, si es realmente aficionado al Arte, el forcejeo y el disgusto de tener que abandonar una obra maestra que amamos, pero que no podemos contemplar perpetuamente, y que sigue existiendo, fuera de nuestra vista, en su pretendida perennidad? La idea de insertar las artes espaciales en el tiempo no es nueva; en el fondo, late en todo el arte figurativo, que pretende aludir a una vida, a un palpitar que no tiene. Incluso en el hieratismo asirio o egipcio hay una alusión al *paso* del personaje. En otras culturas, se han buscado diversas soluciones, como los autómatas bizantinos o medievales, en que no es cosa de entrar aquí. En el arte contemporáneo hemos de aludir, una vez más, al *Manifiesto realista* de Pevsner y Gabo, que rechazaba, entre otras cosas, la inmovilidad de la escultura y declaraba como única solución para expresar el movimiento de la vida el hacer que la escultura se moviera. Es algo así como el proverbio de que *el movimiento se demuestra andando.* A partir de ese momento, la escultura cinética llena un campo amplísimo del arte del siglo XX.

Ese cinetismo puede lograrse, sea por un motor (es el caso de Schöffer), sea por un elemento natural, como el agua o el viento (los *móviles* de Calder) o por la actuación del espectador. Pablo Serrano, muy abierto a los problemas tanto de la escultura en sí como de la sensibilidad, consciente de que el espectador pasivo de otras épocas ha de dejar paso al que, colaborando con el artista, lleva a término la obra, se da cuenta de que sus *bóvedas para el hombre* no permiten que el ser humano actúe junto al artista. Crea así bóvedas móviles, como ésta, expresión tanto de que el hombre necesita un refugio como de que es capaz de buscarlo. En la misma dirección crea sus *Hombres con puerta,* sus *Unidades-Yunta,* en las que, en la práctica, o al menos mentalmente, manejamos dos piezas que se imbrican para desembocar en lo que llama *Intra-espacialismo,* en cuyo manifiesto (1971) acumula todas esas soluciones en una intención humanista, tratando de *integrar los espacios interno-externos con el pensamiento consciente de órdenes contrarios que adquieren personalidades diferentes expresivas hacia lo permanente y hacia lo relativo, como dos circunstancias que concurren en el hombre mismo.* Semejantes, pudiéramos agregar aquí, a ese espacio y ese tiempo inseparablemente imbricados en cuyo interior vivimos, y que estas esculturas móviles tratan de evocar con más sinceridad que las fijas.

Mompó, Manuel H.
Valencia, 1927

Al comparar este cuadro con su boceto, nos percatamos del cuidado con que Mompó trata de conservar la frescura inicial a través de una elaboración más meditada. Se diría que su principal preocupación es evitar que el cuadro, por exceso de cuidados, enferme y muera, como sucede tantas veces. Como buen valenciano, Mompó tiene condiciones para trabajar directamente, *alla prima,* pero, desconfiando de esa facilidad, trata de constreñirla a límites más mentales. En este largo friso acumula los signos y los efectos, pero con una suelta distinción que no hubiera desaprobado Klee, y sin perder nunca ese aspecto acuarelado, transparente, limpio y gozoso, de una pintura que esconde el trabajo que puede costar a su autor.

Pintura con un curioso aspecto figurativo, subrayado en general por los títulos que el artista pone a sus cuadros. Si sabemos que este cuadro se titula *Semana Santa en Cuenca* y lo miramos de lejos, podemos creer que se trata de una descripción de las procesiones, de los pasos, de las cruces, a través de un paisaje de primavera. Visto de cerca y con más detenimiento, el cuadro esconde su secreto, no nos brinda siquiera unos signos que no dejen lugar a duda; hay, sí, unas crucecitas, unas acumulaciones de perfiles, pero no basta. En realidad, sinceramente, no vemos esa Semana Santa. Pero, no obstante, la sentimos, como si hojeáramos un diario que Mompó hubiera escrito en esos siete días, en esas siete zonas en que, aproximadamente, se divide este friso, la primera y la última como si fueran dos fragmentos de un solo día, de iniciación y terminación de la semana. Hay una suerte de ilación, como si el artista estuviera realizando un *comic,* lo que se conoce por *figuración narrativa.* Pero lo figurativo se ha disipado en esa especie de bienestar del ambiente y del color.

Manuel Hernández Mompó es un artista consagrado, con exposiciones y cuadros en todo el mundo, pero que no ha perdido su espontaneidad: es delicioso oírle comentar sus cuadros como si se tratara de escenas de género, con las palabras incluso que dicen los personajes. Pero en la sala de exposiciones quedan silenciosos, aunque con ese extraño poder de animación y de alegría dominical. Guardan en ellos como los ecos del color de la vida campesina.

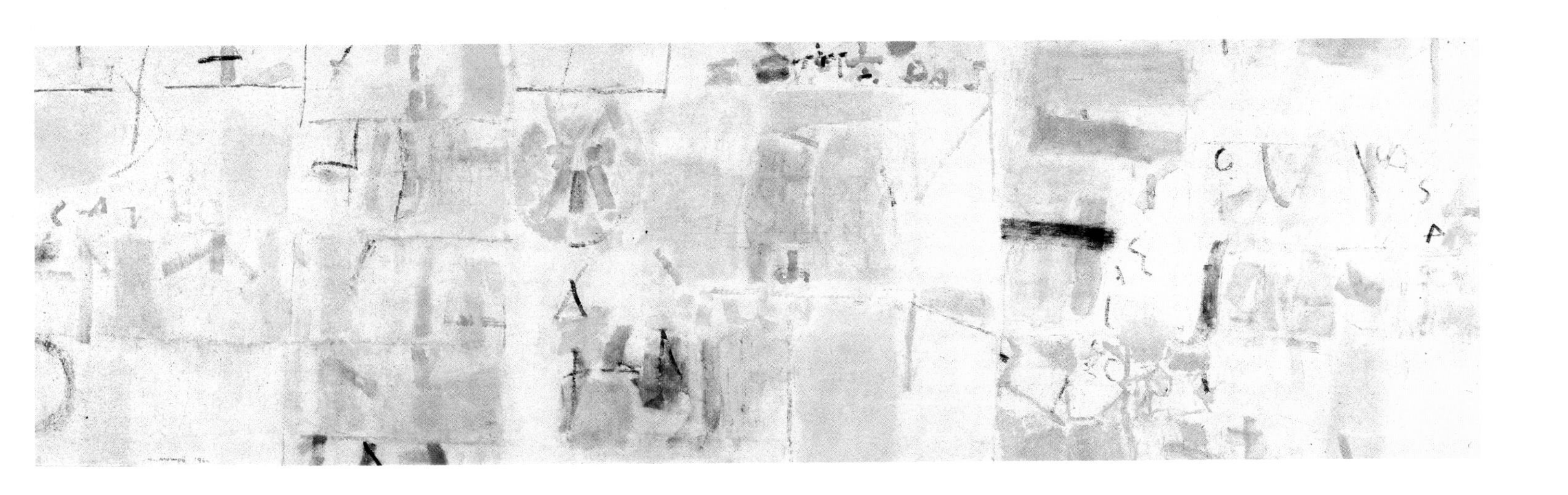

SEMANA SANTA EN CUENCA, 1964
Oleo, temple, pastel y tinta sobre lienzo
100 × 350 cm.

Saura, Antonio
Huesca, 1930

Ver pág. 21

Con *Geraldine Chaplin,* pintada años después de *Brigitte Bardot,* Antonio Saura se nos presenta más esquemático, más dueño de unos medios de grafista que dan al cuadro gran atractivo, una potencia de *llamar la atención* cercana al cartel. Esto no encierra un sentido de crítica: el cartel ha sido y es (aunque su edad de oro parezca ya pretérita) una de las más vivas expresiones de la pintura de nuestro siglo. Decir que *Geraldine Chaplin* tiene la fuerza de un buen cartel es como decir que *Brigitte Bardot* tiene la espontaneidad de una pintada en una pared. En ambos casos, se trata del mismo concepto de la pintura, expresionista, *gestual,* irrespetuosa, que parte de la figuración para tratar de destruirla en lo que tiene de narcisista, de acompasada, pero conservando su rabiosa fuerza vital. En *Geraldine Chaplin,* título que alude a la hija del famoso actor cinematográfico Charlie Chaplin «Charlot», protagonista de varias películas realizadas por Carlos Saura, hermano del pintor, y muy dentro de la intimidad casi familiar de éste, no hay un ataque directo al mito generalizado, como en *Brigitte Bardot.* Más bien se trata, al parecer, de una *caricatura* amistosa; dentro de su carácter de adefesio, es, sin duda, menos agresiva. Ambas se insertan en las series que Saura calificó de *retratos imaginarios,* en las que lo mismo se enfrenta con personas actuales, como Geraldine Chaplin, que con personajes históricos, como Felipe II, que, por cualquier razón, le provocan reacciones de atracción o repulsión que le permiten ponerse en el *trance* de imaginarlos libremente.

Seguimos en un terreno de austeridad cromática, como en *Brigitte Bardot;* pero en *Geraldine Chaplin* el fondo se ha animado suavemente; ya no es de un gris uniforme, sino que toma un matiz ligeramente luminoso, comparable a ciertos fondos de retratos de Escuela Veneciana del siglo XVI, que Saura ha visto en el Museo del Prado. En ellos, la silueta del retratado, negra o casi negra, se recorta poderosamente sobre ese fondo, como lo hace esa especie de capa que cubre los hombros de *Geraldine* y que recorta abajo un triángulo blanco —apenas moteado de las gotas del *dripping*— con la elegancia austera de un hábito de orden religiosa. Es como un pedestal, que sostiene la informe cabeza que alude libremente a los ojos y a la dentadura del modelo, y en la que se admiten unas pinceladas blancas, negras y ocre-amarillentas que recuerdan, lejana, pero ciertamente, el modo de construir El Greco algunos de sus mejores retratos *(Caballero viejo desconocido,* Museo del Prado; *Alonso de Covarrubias,* Museo del Louvre). Porque de esa influencia veneciana antes señalada, El Greco ha tomado la mejor parte, para mostrarla a Saura.

Queda el cuadro dividido así en tres zonas yuxtapuestas, de tamaños más o menos equivalentes: la inferior, blanca; la mediana, negra; la superior, de un tono de *bistre* que, por contraste, parece ricamente colo-

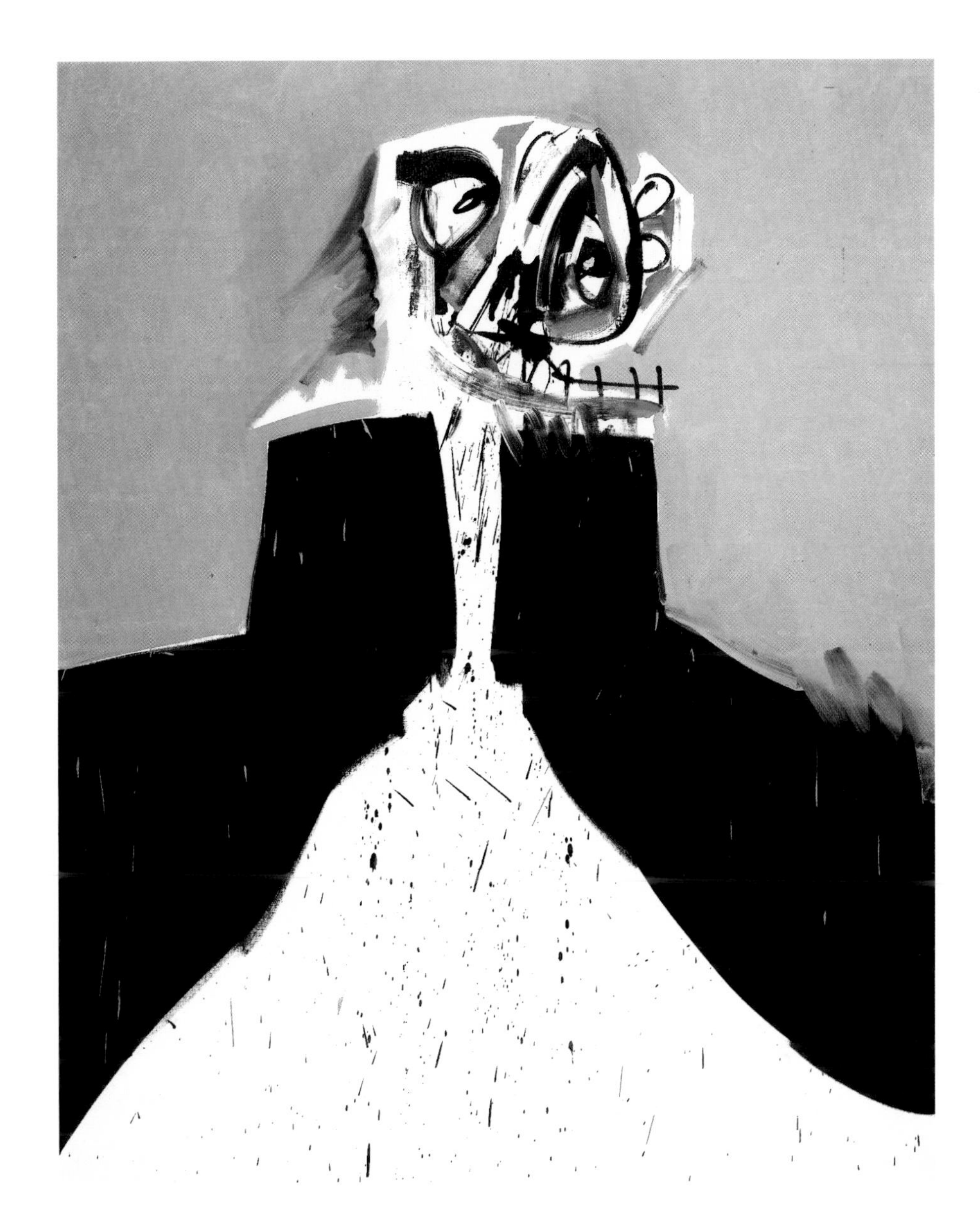

GERALDINE CHAPLIN, 1967
Oleo sobre lienzo
162 × 130 cm.

reado. Tres *tintas* que acreditan el valor de Saura, no sólo como pintor, sino como artista gráfico: recordemos su creciente afición a usar papeles de gran tamaño, en vez de telas, o recortes en forma de *collages* o superposiciones, en busca de un medio expresivo más inmediato, menos formal que la pintura.

CRECIENTE AMARILLO, 1971
Oleo sobre lienzo
213 × 183 cm.

Guerrero, José
Granada, 1914

Para liberarse del tema, saliendo sin embargo de un pie forzado que puede ser útil como punto de partida, el pintor granadino José Guerrero pintó unos cuantos lienzos inspirados por las fosforeras de papel, como el que tituló *Creciente amarillo.* Estudiante y luego profesor en Estados Unidos en el momento de la eclosión de la escuela norteamericana de pintura, parece haber querido reunir en su obra las dos grandes tendencias que han influído en el desarrollo del arte en la segunda mitad de nuestro siglo: una más o menos geométrica, derivada de los emigrantes de la *Bauhaus* alemana, como Albers o Moholy-Nagy, y una de libre explosión del color, como la que capitaneaba Pollock desde la galería de Peggy Guggenheim.

Guerrero ha sabido aprovechar todas sus experiencias como base para sus futuras acrobacias. A lo largo de sus diversos períodos, hay en él algo que responde a la idea del antiguo preceptista aragonés Jusepe Martínez: *El pintor nace.* Guerrero ha nacido pintor, siente casi visceralmente lo que es pintura y puede abandonarse al oleaje del *Action Painting* como el nadador experto al de un océano movedizo: sin perder el dominio de sí mismo. Es, pues, su posición, americana y europea, ambigua en el buen sentido de esta palabra: desciende a la vez de Matisse y de De Kooning, de lo inteligente y de lo instintivo, de lo *gestual* y de lo constructivista.

Ver pág. 72

El título de este óleo expresa claramente la intención del pintor, que es plenamente abstraccionista: el amarillo va invadiendo las zonas paralelas verticales (los fósforos) y se adueña del marco, dejando intactos como contrapuntos los negros (cabezas y raspador). Este choque de tonos intensos se suaviza por las medias tintas grisáceas y azuladas, así como por el cuidado de Guerrero por mostrar que se trata de una obra manual, con el temblor del pulso de su creador.

Con esta y otras obras, como *Intervalos azules,* se sitúa este artista en un lugar que le es propio en el arte moderno español: el de una pintura a la vez *actuante (Action Painting)* y medida, en la que el color tiene una importancia primordial. Este concepto limpiamente cromático de su arte hace de Guerrero, una vez pasado el oleaje expresionista de los cincuenta, un modelo, un ejemplo, un *cabeza de serie* para la que cabe llamar *generación de los ochenta.*

EL ROMANCE DE CUANDO ESTUVO EN CUENCA D. LUIS DE GÓNGORA Y ARGOTE, 1969
Serigrafías para ilustrar un romance de Góngora
55 × 44 cm.

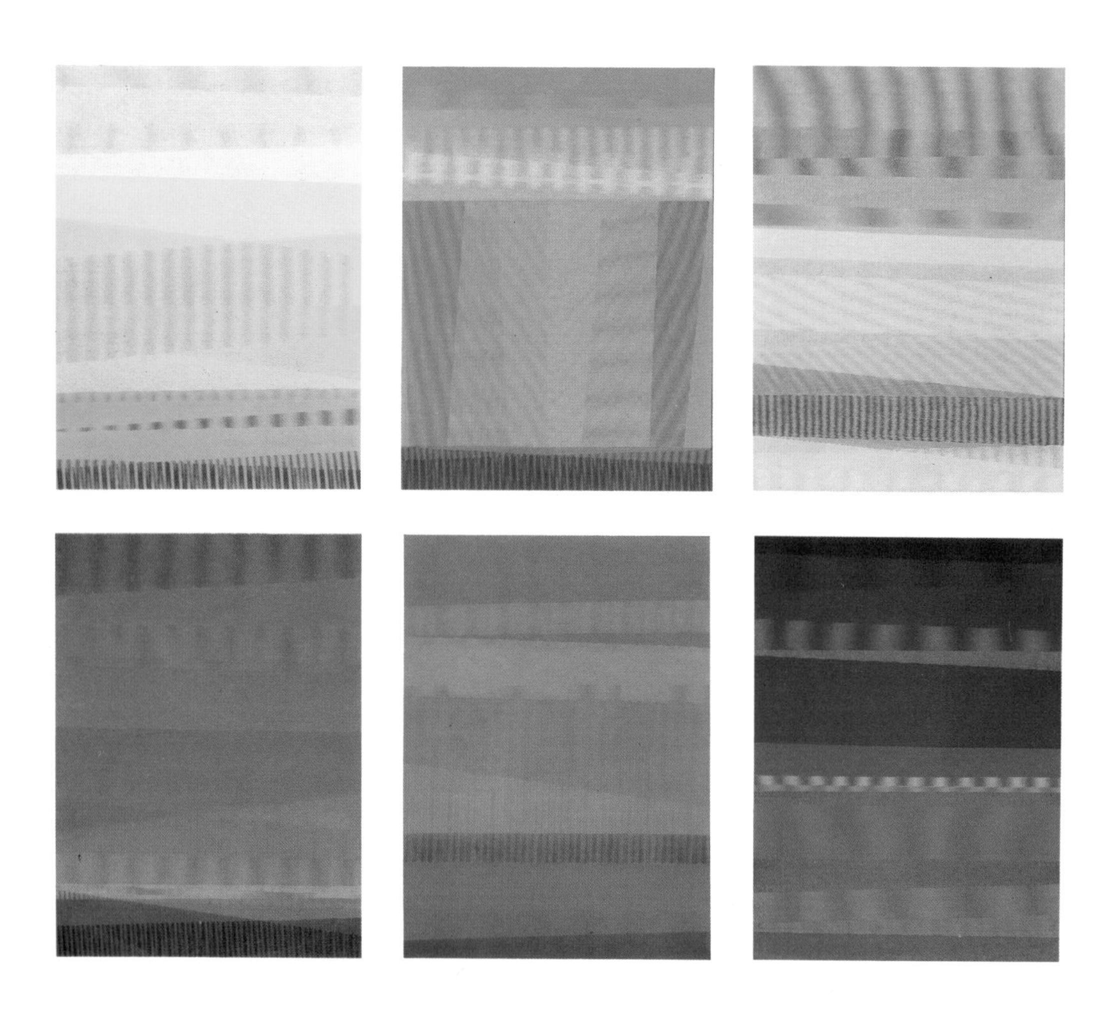

Sempere, Eusebio
Onil (Alicante), 1924

Sempere erige aquí, a su modo, un monumento en homenaje al gran poeta cordobés don Luis de Góngora, redescubierto por la Generación de 1927, año en el que se celebró el tercer centenario de su muerte. Pablo Picasso, aproximadamente de esa generación, aunque residente fuera de España, quiso sumarse a los laudes de Dámaso Alonso y Rafael Alberti, y en 1947-48 ilustra al aguafuerte veinte poemas de Góngora que se publican en París. Picasso trataba de acercarse al texto lo más posible, sin renunciar a su abrupta originalidad; en algunos de esos cuarenta y un grabados incluso escribe él mismo el texto del poeta en español, pese a ser una edición francesa, encabezada, por otra parte, con un retrato del cordobés por el malagueño. Sempere parece buscar, más que nada, un motivo para expresar su admiración, de manera abstracta, como un músico que compone en alabanza de otro artista (Falla escribiendo *Le Tombeau de Claude Debussy).*

Traza, por ello, con paciente seguridad, las infinitas rayuelas de seis maravillosas serigrafías, a modo de paisajes abstractos, en cuyos *moarés* y cabrilleos podemos ver, si así lo deseamos, un trasunto del cielo o del mar, del campo o del río, celebrados por Góngora en sus versos de modo no menos abstraccionista. Cada una de ellas va adherida a una cartulina mate del color que al artista le ha parecido más idóneo para poner de relieve su policromía. En la carpeta que posee la Fundación Juan March, hay, además, todo el proceso de realización de una de ellas, a través de diez pruebas de estado que van, desde el fondo o campo de color liso, hasta la última modificación, añadidura o supresión de las líneas brillantes, casi luminosas, de la composición. Así puede apreciarse claramente cuánto trabajo paciente hace posible una obra aparentemente tan espontánea y directa. Pero no de otro modo trabajaba don Luis, *entre espinas, crepúsculos pisando.*

Torner, Gustavo
Cuenca, 1925

La primera escultura monumental de Gustavo Torner es de 1966, año en que, con Zóbel y Rueda, funda el Museo de Arte Abstracto Español en su ciudad natal. La formación de Torner no es académica, ni siquiera artística, sino naturalista y técnica. Dotado de una gran sensibilidad para las calidades de textura y estructura de las cosas, de una mente clara y matemática, de un sentido muy seguro de la composición en el espacio (que se revela, no sólo en sus obras escultóricas o pictóricas, sino incluso en su modo de presentar grandes exposiciones ajenas en la Fundación Juan March), sabe cimentarlas en una cultura humanista, de la que esas obras son a veces como glosas o meditaciones *(Tiempo inmóvil* en Layos, Toledo; *Música callada-Homenaje a San Juan de la Cruz* en Caldas, Oviedo, etc.). *Mundo interior* parece hacerse eco de las contemplaciones de los teóricos italianos del primer Renacimiento en torno a la perspectiva. Perspectiva, no sólo como una representación posible de lo exterior, o como una *forma simbólica* según la luminosa teoría de Erwin Panofsky, en relación con las ideas de su tiempo, sino como un homenaje a quienes, como L. B. Alberti, L. Paccioli, P. Uccello, fueron los pioneros de un Universo, limitado sin duda, pero coherente y armonioso como las esferas celestes de Aristóteles. En ciertos aspectos, cabría decir que Torner, con sus polifacéticas intervenciones en el terreno artístico, con su perpetua *manía* de inventar, pertenece también al Renacimiento.

Este *Mundo interior* es como una ilustración de un tratado florentino del siglo XV llevada a su realización en el espacio. Se compone de cinco partes, bien diferenciadas en su situación y papel. Dos de ellas representan la relación con el mundo exterior y circundante: los blancos prismas que sirven de pedestales y los doce barrotes de madera que forman las aristas de un cubo o hexaedro. De los ángulos de ese cubo parten oblicuamente hacia el interior una serie de filamentos tensados que representan el papel de intermediarios entre el fuera y el dentro, formando a modo de aspas en cada una de las facetas imaginarias del cubo. En sus intersecciones se sujeta un cuadrado, también de madera, en posición horizontal, y dos aros o circunferencias de material traslúcido, que se cruzan arriba y abajo, constituyendo el embrión de una esfera. Esta esfera transparente, inexistente, queda así contenida en el cubo, como el alma en un cuerpo. Un *Mundo interior* de suavidad —materiales y forma— animando calladamente un mundo exterior de aspecto duro y esquinado: pero dos mundos perfectos, como lo son la esfera y el cubo.

En otras esculturas *(Reflexiones I,* Madrid, y *II,* Almería; *Caos-cosmos,* Alicante, etc.), Torner, a la vez que trata de crear un lugar urbano bien definido por la inserción de formas, aparentemente complejas en su en-

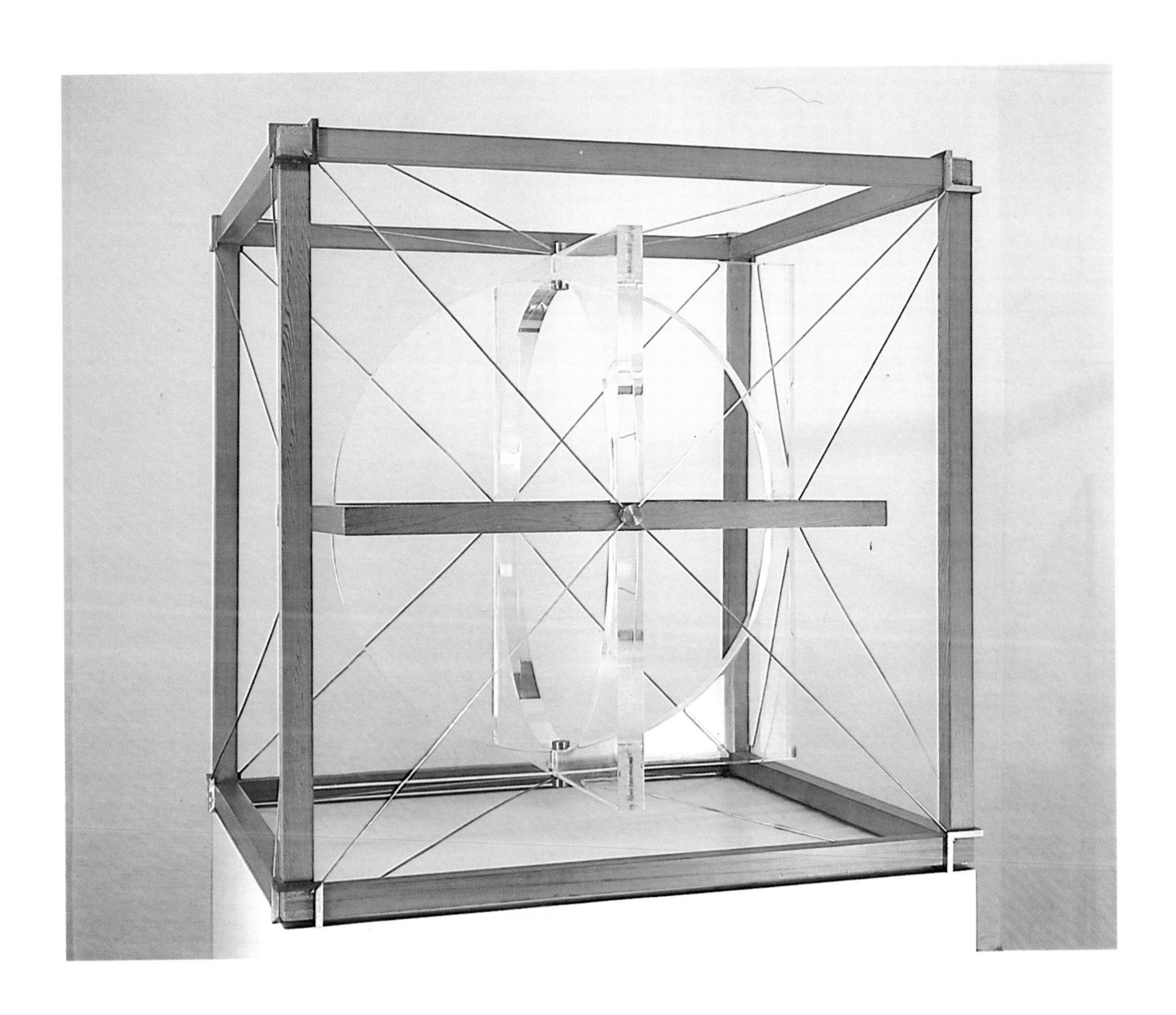

MUNDO INTERIOR, 1972
Madera de cedro y metacrilato
104 × 104 × 104 cm.

cadenamiento, pero geométricamente simples, sigue preocupado por esta tensión entre lo interior y lo exterior, lo macizo y lo hueco, que parecen fundamentales en la escultura contemporánea, al menos desde el *Manifiesto realista* de Gabo y Pevsner (Moscú, 1920), que con tanta firmeza sentaron los principios de una plástica de acuerdo con su tiempo, que es, todavía, el nuestro.

Rivera, Manuel
Granada, 1927

Duende no es aquí ese *espíritu que el vulgo cree que habita en algunas casas y que travesea, causando en ellas trastorno y estruendo,* según la primera acepción, tan torpe y burda, del Diccionario de la Academia, sino ese *encanto misterioso e inefable* a que, con más acierto, alude en la quinta. Un granadino como Manolo Rivera jamás pensaría, al bautizar su obra *Espejo del duende* en aquel ser vulgar y estrepitoso, sino en algo semejante a lo que García Lorca trató de definir en una famosa conferencia pronunciada en la madrileña Residencia de Estudiantes, con el título de *Teoría y Juego del Duende.* En ella dijo cosas como que *el duende es un poder y no un obrar, un luchar y no un pensar, el que Paganini definía como «poder misterioso que todos sienten y que ningún filósofo explica». Todas las artes son capaces de duende... España está siempre movida por el duende. El duende ama el borde, la herida, y se acerca a los sitios donde las formas se funden en un anhelo superior a sus expresiones visibles...* Y Lorca concluía: *El duende... ¿Donde está el duende? Por el arco vacío entra un aire mental que sopla sobre las cabezas de los muertos, en busca de nuevos paisajes y acentos ignorados; un aire con olor de saliva de niño, de hierba machacada y velo de medusa que anuncia el constante bautizo de las cosas creadas.* Nuevos paisajes y acentos ignorados: eso es lo que Rivera ha conseguido tañendo las cuerdas de alambre roñoso de los gallineros del Sacromonte, viendo cómo la hiedra y la viña-virgen invaden los tapiales de la Cuesta de los Muertos, y cómo relucen, detrás de la reja forjada y dorada de la Capilla Real, las calaveras de Isabel y Juana.

Espejo es nombre muy usado por Rivera, que niega paradójicamente la realidad hirsuta de sus construcciones erizadas, haciéndonos creer que se trata de meros reflejos: una sombra, una ficción. Este *Espejo del duende,* en cuanto nos movemos, levanta un aleteo de reflejos, una bandada de parpadeos de *moaré,* hábilmente logrados por la superposición de las rejillas. *Arte Op* tan alejado de todo tecnicismo, tan sonámbulo, tan artesano, que es capaz de condensar, en sus branquias oxidadas, algo de esa misteriosa esencia, de esa gracia subterránea que alimenta el arte flamenco de bailaores y cantaores, que brota incontenible cuando nadie la llama. En el fondo de las rejillas de Rivera titila la lamparilla de las capillas oscuras, de los fantasmas silenciosos y no estruendosos.

ESPEJO DEL DUENDE, 1963
Tela metálica pintada sobre tabla
182 × 114 cm.

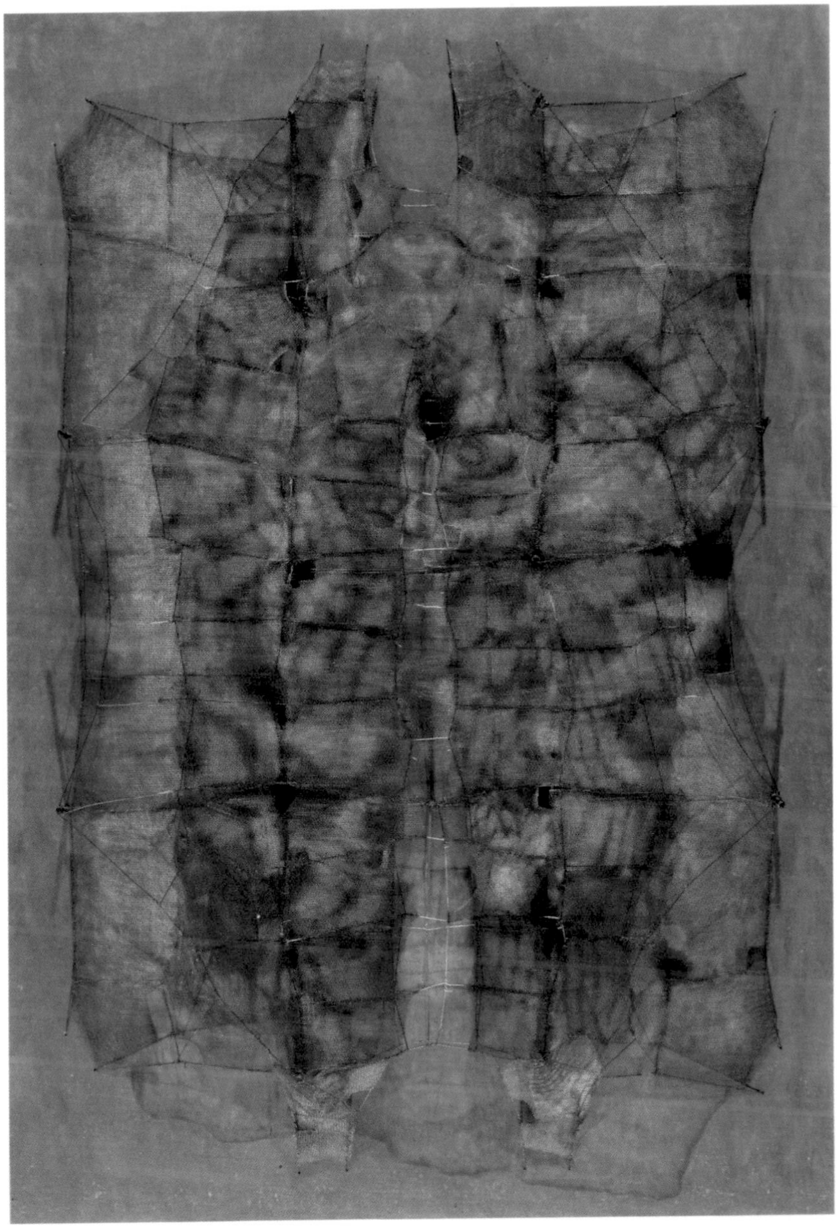

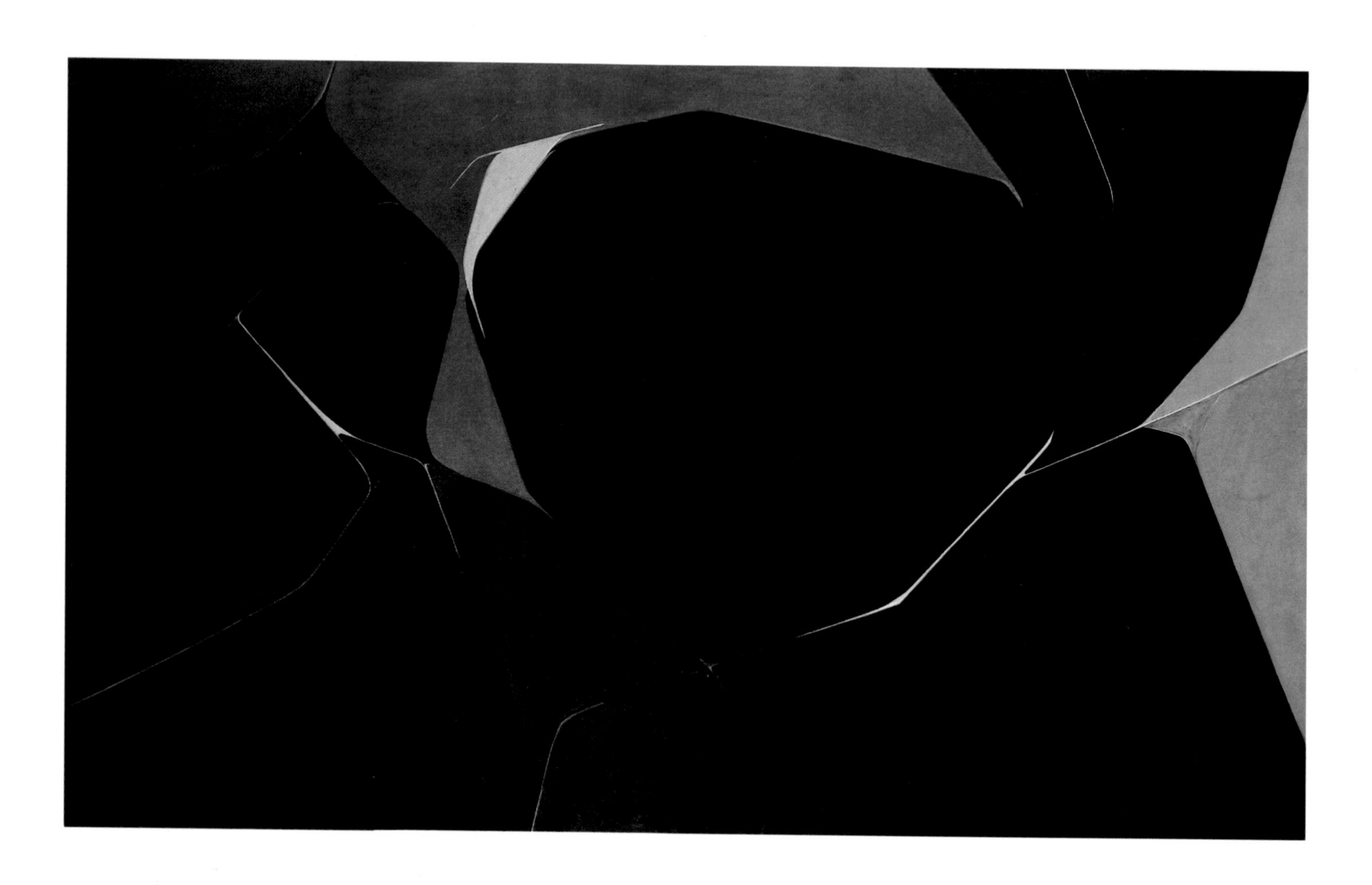

NOIR CENTRAL, 1963
Oleo sobre lienzo
205 × 325 cm.

Palazuelo, Pablo
Madrid, 1916

Este cuadro, que el pintor titula en francés *Noir central,* no sólo por su familiaridad con este idioma en sus años de residencia en París, sino por la proyección de su pintura a través de una famosa galería francesa, es como una variación sobre el negro, partiendo del octógono irregular del centro, que más bien parece un hexágono sometido a diversas presiones, suavemente expresadas por las tensiones curvas de los ángulos. Sin percatarse, el ojo del espectador trata de reconstruir un estado anterior, de calma, en el que ese polígono se incrustase exactamente en el hueco gris del fondo. Es como si se asistiera a un desplazamiento mineral, a una falla anterior a la cristalización. Este gran lienzo, construído totalmente sobre oblicuas, produce una impresión de gravedad, de pesantez. Y siendo una construcción totalmente inventada por Palazuelo, logra algo de necesidad mineralógica, como si la petrificación de las formas no pudiera operarse de otro modo. No sabríamos cambiar nada en esta composición irregular, que no se apoya en perpendiculares ni en simetrías. El único espacio caliente hasta cierto punto es la pequeña zona aproximadamente triangular de la derecha, introducción de otra veta coloreada o, acaso, necesidad de luz solar, con lo que este cuadro pudiera compararse con una de esas cuevas de los anacoretas de Ribera, con un doble foco luminoso, el interior, tenue y trascendente, y el externo, que se ve fuera, a través de la entrada de la gruta, con su tonalidad cotidiana.

En otros comentarios a obras del mismo artista se ha aludido a la formación de Palazuelo como arquitecto y al aspecto telúrico, de lentísimo movimiento (casi cósmico) de sus ritmos, así como a la importancia del color negro en su meditada escala de valores. Este *Noir central* es la mejor demostración de esa importancia primordial del color negativo, convertido en una hipótesis de afirmación de una oscuridad de la que, trabajosamente, todo el cuadro va surgiendo hasta alcanzar esa quiebra luminosa de su lado derecho, cuya tradición tenebrista acabamos de subrayar.

ANTROPOFAUNA, 1970
Técnica mixta
160 × 160 cm.

Millares, Manuel

Las Palmas de Gran Canaria, 1926 - Madrid, 1972

Ver pág. 27

El título *Antropofauna* nos puede pasar casi inadvertido en su extrañeza, como el de *Ornitóptero* usado por Fernando Zóbel: ambos tienen un serio y ligeramente aburrido aspecto de clasificaciones de Historia Natural. Si la palabra *fauna* expresa el conjunto de animales propios de un país o región, precedida de *Antropo,* es decir, referente al hombre, toma un cariz curioso y enigmático. No se trata, evidentemente, de una lección de parasitología. El bullón de telas que forma el núcleo de la composición apenas evoca un contorno humano. Pero recordemos que se trata de un nombre genérico, más que propio de este cuadro, y otros hay (en la misma colección de la Fundación Juan March) que también lo llevan. El artista ha podido buscar, al inventarlo, la expresión de lo desgarradamente humano, que es lo suyo propio, en una suerte de repeticiones o variaciones tipológicas, todas ellas con unos caracteres comunes: ser de buen tamaño, de telas bastas, arpilleras, corcusidas y en la parte principal, arrugadas y sujetas con cordeles; manchadas de negro, pero con una dominante de tonos claros, con un fondo blanco que evoca una pared enjalbegada, que, a través de sus jorobas y hendiduras, deja trasudar algo de su tristeza y sobre la cual alguien ha escrito, se diría que con carbón, signos y letreros indescifrables. La cal parece haberse desprendido por trechos. Hay en la parte baja del cuadro una especie de tubería en relieve, cruzada por tres gruesos trazos negros. Dentro de su enorme libertad expresiva, con esa silueta rayada que parece un herido extendiendo los brazos, a medio cubrir por unas ropas destrozadas, de botones negros, el lienzo, brutal y refinado, nos hace irremediablemente recordar una de esas terribles tapias de la guerra civil española, que sirvieron de fondo a tantas muertes.

¿Era ésta la intención de Millares al pintar y ahuecar esta obra? Nunca lo sabremos, porque este artista canario falleció a los cuarenta y seis años. Este trágico destino impregna, retrospectivamente, de luto toda su obra anterior. Si hubiera seguido viviendo y pintando, con las normales variaciones de temática y estilo que hemos apreciado en sus compañeros de *El Paso,* no nos quedaríamos fijos irremediablemente en su faceta dolorosa y funeral, que, en estas obras de su época madura, tan refinadamente decorativas, todavía exacerba, con sus medias tintas llenas de suavidades, lo inapelable y urgente del mensaje.

Ver pág. 33

La obra revela una gran madurez compositiva. Es normal que un pintor, aunque trate de llevar sus emociones directamente al lienzo, como en el expresionismo abstracto americano, sea incapaz de olvidar sus anteriores experiencias gráficas y texturológicas. Esta *Antropofauna* pertenece, sin duda, a una serie que cabe llamar *blanca* y en la que lo espeso y salvaje de la forma central, el relieve de bramantes y trapos, se rodea de toda una *flora* (más que fauna) de rayitas, delicados signos de un idioma imposible.

Ver pág. 72

Rueda, Gerardo
Madrid, 1926

Rueda, en esta composición, que cabría calificar de relieve policromado, está jugando con las cerillas, o más exactamente con las cajas de cerillas que, en la humilde perfección de su módulo —que no hubiera desaprobado Luca Paccioli en *De divina proportione*—, han sido sus inspiradoras repetidas veces. Tiene esta composición, en su sencillez, cierta grandeza arquitectónica. Se trata, como en los rascacielos de Ludwig Mies van der Rohe, de una variación sobre *el número de oro,* que da su proporción al rectángulo azulado que sirve de fondo mate, y al que van adheridos rectángulos menores, pero siempre de idéntica armonía. Los hay algo más grandes, seis, de un azul intenso, que centran la composición en su parte superior con el rigor de un relieve. Los hay, más pequeños aún, en la parte inferior, dieciséis en total. Catorce de ellos, en dos bandas de a siete, forman superpuestos una a modo de base, sobre la que se yerguen, con cierto aire casi cómico de equilibristas, dos más, uno sobre otro, como *xiquets de Valls.* Estas dieciséis cajitas están pintadas dos a dos con tonalidades uniformes que comienzan, en la zona izquierda del cuadro, con los colores más cálidos del espectro de luz solar; pero de repente esa gama caliente desaparece, la simetría queda sincopada por el color, las cuatro cajitas de la derecha están pintadas en tonos oscuros y fríos, como si hubiera pasado una nube sobre la rutilante compañía de esos estuches.

El hecho de que dos artistas importantes de nuestra época se inspiren en los estuches de cerillas —Rueda en las cajitas, Guerrero en las fosforeras aplanadas— para sus composiciones abstractas, muestra claramente que, como decía Braque, para abstraer hay que partir de una realidad. Una realidad cotidiana e insignificante, en este caso, al menos aparentemente. Pero acaso más significante que otras muchas de mayor tamaño, precio o pretensión. Las cerillas acompañan nuestra vida, son un emblema de época, de armonía, de iluminación.

SIN TÍTULO, 1967
Collage sobre madera
67 × 47 cm.

Saura, Antonio
Huesca, 1930

Hace ya bastantes años, cuando iniciaba mis colaboraciones en la revista *Insula,* dediqué mi primer artículo (puesto que se trataba de una publicación predominantemente literaria) a varios artistas que habían sentido la necesidad de ilustrar a Quevedo, entre ellos, evidentemente, Saura con estas tres visiones, por suerte o por desgracia traducidas —en su texto— al francés: suerte porque esa versión les brindaba un más amplio escenario desde las librerías de París; desgracia porque si es difícil traducir a un buen escritor, traducir a Quevedo es imposible y con el ropaje galo y su brutalidad ibérica cobra un ambiguo aspecto de *travesti.* Por lo demás, Quevedo, ilustrado desde su época groseramente, y que en la edición flamenca de la Vda. de H. Verdussen en 1726 adquiere un tonillo académico, de *comédie française,* no alcanza las alturas de la buena estampa hasta Urrabieta Vierge, en la libre versión inglesa de *El Buscón* de 1892, que respeta los datos que el autor le ofrece. Los ilustradores del siglo XX se interesan por el texto, pero carecen de la modestia necesaria para someterse respetuosos a sus detalles. Más bien tratan de hallar una equivalencia de estilo, en vez de enumerar los episodios escatológicos del gran satírico conceptista, por otra parte, tan gráfico y vivo en sus descripciones que es el mejor ilustrador de sí mismo, sin admitir otro: incluso se retrata en caricatura, y ha logrado que lo imaginemos como un ser grotesco, con sus bigotazos, su mosca y sus anteojos, para que no reparemos demasiado en defectos como la cojera, que no corresponden a un caballero *de hábito* como él. En nuestras ediciones modernas, sólo Lorenzo Goñi ha tratado de seguir fielmente los textos: Orlando Pelayo, Quirós, García Ochoa, como Saura, han buscado su eco personal, su respuesta propia a las incitaciones e invectivas quevedescas. Cada cual, naturalmente, dentro de su estilo más personal y menos alienable.

Saura es maestro del mamarracho, del adefesio, del figurón ridículo, en lo que sigue, a su estilo de pintor, el ejemplo de los satíricos españoles: Quevedo, Alemán, Torres Villarroel. Sus personajes gráficos e incluso sus caligrafías están, por ello, más cercanas a Quevedo que la propia traducción literaria a que acompañan (no cabe asegurar que *Le sergent de ville démoniaque* sea la mejor traducción posible de *El alguacil alguacilado).*

Este portfolio publicado en París, en 1972, por Yves Rivière, cuenta con cuarenta y dos truculentas litografías, entre las que hay temas muy diversos: desnudos engarabitados y grotescos, retratos imaginarios lúgubres, cortes como de catacumbas infernales, grupos compactos y gesticulantes, nos dan lo más típico del pintor aragonés.

et de ses sanglots, criant à haute voix et d'un ton aigu : Ah, Dieu, pourquoi faut-il que je survive après la perte d'une si chère et agréable compagnie? Que je suis malheureuse d'être née! Hélas, à qui puis-je recourir? Qui est-ce qui voudra prendre en sa protection une pauvre femme, une pauvre veuve comme je suis, et l'assister en ses nécessités? A cette pause-là, tout le reste du chœur de cette musique reprenait avec les instruments de leurs nez, dont la moucherie et les reniflements étourdissaient toute la maison. Et alors je reconnus qu'en telles occasions les femmes se purgent et jettent par leurs naseaux et par les yeux une partie des mauvaises humeurs de leurs cerveaux. Néanmoins, je ne me pus tenir d'avoir un petit ressentiment de douleur. Et me tournant devers mon sage conducteur, la compassion, lui dis-je, est fort bien employée à l'endroit d'une veuve, parce qu'elle est abandonnée de la plupart du monde.

La Sainte Écriture les appelle muettes et sans langues : le mot hébreu qui exprime celui de veuve porte une telle signification. Il n'y a personne qui parle pour elles. Et quand une veuve aurait la hardiesse de parler, se voyant seule et sans support, on ne l'ouïrait pas, de façon qu'il vaudrait autant qu'elle soit muette.

Nous voyons dans l'Ancien Testament que Dieu eut beaucoup de soin d'elles. Et même en la Loi Nouvelle, il les recommande grandement par l'organe de saint Paul, qui atteste fort que Dieu n'abandonne jamais ceux qui sont seuls ou que la misère a affligés et que, d'en haut, il regarde toujours ceux qui sont abaissés.

Je ne veux point de vos sabbats, ni de vos fêtes, dit-il en Isaïe; *je détourne ma face de vos encens; vos holocaustes m'importunent; je hais vos calendes et vos solennités. Lavez-vous, nettoyez-vous, et bannissez tous ces mauvais desseins que je vois dans vos cœurs. Laissez le mal et vous adonnez à bien faire. Pratiquez la justice. Secourez les opprimés. Soutenez l'innocence de l'orphelin, et défendez la veuve.* Vous voyez bien que toutes les bonnes œuvres contenues en ces préceptes vont toujours en augmentant de mérite l'une par dessus l'autre. Et que pour conclusion de ces instructions-là et pour exercer la charité en un suprême degré, il ordonne de *défendre la veuve.* C'est véritablement une information du Saint-Esprit de recommander la défense de la veuve, d'autant que, de soi, elle n'a aucun pouvoir de se défendre. Et même qu'elle est le plus souvent opprimée de tous. Aussi est-ce une œuvre si agréable à Dieu, que le prophète ajoute ensuite : *et si vous le faites, venez et me réprimez, etc.* Ceci conformément à cette permission que Dieu donne de Le réprimer à ceux qui aimeront les bonnes œuvres et qui se sépareront des mauvaises, qui secourront les opprimés et qui défendront la veuve; Job raisonnant avec Dieu, et Lui représentant

QUEVEDO-TROIS VISIONS, 1970
Serie de litografías sobre textos de Quevedo
39 × 29 cm.

Tàpies, Antoni
Barcelona, 1923

Ver pág. 25

Tàpies es el más famoso intérprete mundial de la tendencia que en los años cincuenta se llamó el *Art autre* y que consiste en buscar, no ya la semejanza óptica del cuadro con un espacio u objeto exterior a él, sino ciertas equivalencias de materia, de masa, de textura que, sin ánimo de copiar lo natural o lo fabricado, pueden darnos su esencia. Los cuadros de este artista suelen ser el fruto de una técnica laboriosa, de resinas y arenas, improntas y adherencias, surcos y rayas, manchas y claros, que tienen la poderosa sugestión de las creaciones de la Naturaleza, rocas o playas, cortezas o troncos, o del Hombre, telas viejas y chapas enmohecidas, relieves borrosos, paredes arruinadas, signos indescifrables de otra cultura. En general, Tàpies

LE LINGE, 1967
Pintura sobre tela
97 × 130 cm.

no se propone representar claramente un tema ajeno a la misma sustancia del cuadro (salvo en algunas obras políticas). Más bien parece seguir la idea de Paul Valéry de que el artista no ha de pintar lo que ve, sino lo que han de ver los demás.

Ver págs. 31 y 57

Sobre la formación estética y técnica de este pintor, de enorme complejidad bajo apariencias simples y como casuales, hemos señalado algo en los comentarios a sus cuadros *Marrón y ocre* y *Grande équerre.* A diferencia de esos títulos, el de *Le linge* (que cabría traducir por *La ropa blanca,* pero más exactamente por *La sábana)* es, excepcionalmente, descriptivo. El autor, por una vez, nos orienta sobre la obra que vemos y que representa (o, más exactamente, *es)* una sábana colgada, como si estuviera en el alambre de un tendedor de azotea barcelonesa, en la que el artista sólo se ha permitido añadir una línea de pequeños trazos, voluntariamente torpes, y un pequeño signo en la parte superior derecha. Como decíamos anteriormente, la sustancia del cuadro es su propio tema: en este caso Tàpies se aproxima a la tendencia conocida por *Objetismo* (inaugurada por Marcel Duchamp en la segunda década del siglo con sus objetos *ready made,* comprados en un almacén, cuya entidad artística derivaba no sólo de la voluntad del propio artista, único juez calificado en nuestro tiempo para decidir si una obra es, o no es, *de Arte,* sino de la *presencia* casi simbólica que asume un objeto fabricado en serie y aislado de sus semejantes) en la que ha incidido con más franqueza en otras obras hechas, ya con rejillas, alambres, hilos o papeles, ya con ropa interior, ya con muebles más o menos manipulados, etc. Aquí estamos ante una *representación* de carácter más tradicional, pero en cuya desconcertante pobreza y simplicidad cabe atisbar todo ese fondo extremo-oriental que hace de Tàpies el más exquisito *mandarín* de la pintura española contemporánea.

Ver pág. 16

Arte hermético, de enorme refinamiento formal bajo apariencias casuales, aristocrático, pese a la vulgaridad de ciertos materiales adheridos, con valores de escultura y pintura que parece desdeñar, y con ese aire de necesario, de insustituíble, que poseen contadas obras modernas y que, a fin de cuentas, pudiera calificarse de *real.*

Sempere, Eusebio
Onil (Alicante), 1924

Sempere está, desde su infancia, en contacto directo con una cultura manufacturera del entramado de horizontales sobre una cuerda o barra vertical (persianas, toldos, rejas, redes), a la que, probablemente, no presta atención en sus estudios de la Escuela de Bellas Artes de Valencia, en donde se dedica, ante todo, a aprender las técnicas que permiten fijar en el cuadro una visión plástica y personal del espectáculo de la naturaleza externa, pero que no tardará en aflorar cuando, llegado a París en 1955 con una pequeña beca del Estado francés, entre en contacto con las experiencias ópticas del grupo de artistas de la galería Denise René, fundada por Víctor Vasarely. Las largas contemplaciones pueriles de la luz solar a través de persianas y cañizos, del reflejo de los tallos vegetales en los campos inundados, de las modificaciones que introduce, en una percepción normal, el movimiento de una rama de palmera cuyas hojas se cruzan y descruzan, todo lo que cabría llamar un *realismo* nuevamente sentido, se ven confirmadas por los experimentos del *Groupe de Recherche Visuelle,* al unísono del cual trabaja sin renunciar a su independencia. Ahora, su aprendizaje es el de la nueva aplicación al arte de técnicas eléctricas, llegando incluso a publicar un nuevo ensayo sobre el uso de la luz en la plástica.

En estas *Tres columnas* hallamos mucho de esa reelaboración de las impresiones pueriles a través de un arte tecnológico que en Sempere jamás llega a perder su respiración vital. Y puede haber también otro recuerdo, esta vez ya no de la naturaleza o de la artesanía rural, sino del gran arte decorativo de las iglesias y palacios de Levante, en los que la columna torsa es un elemento obligado. Recordemos dos de los más insignes edificios de Alicante: la iglesia de Santa María, a cuya sombra ha fundado Sempere su admirable Museo de Arte Contemporáneo, y el Ayuntamiento, en las inmediaciones. Las columnas llamadas *salomónicas* son las protagonistas de ambas portadas. La sugestión de movimiento que su relieve helicoidal nos envía podemos verificarla en las columnas móviles de Sempere, que el espectador puede combinar a su guisa (girando sus elementos horizontales sobre el eje vertical) y que alcanzan su expresividad mayor en la rotación en caracol. Cabría hablar aquí de un neo-barroquismo. El brillo y riqueza del metal pueden asimismo traer a nuestra memoria el esplendor de los interiores de los templos en los que los escultores y decoradores del siglo XVIII buscaban la ilusión de una luminosidad en movimiento: lo que Sempere consigue, simplemente, con estas piezas en forma de *S* sujetas por su parte central a un vástago colgado del techo.

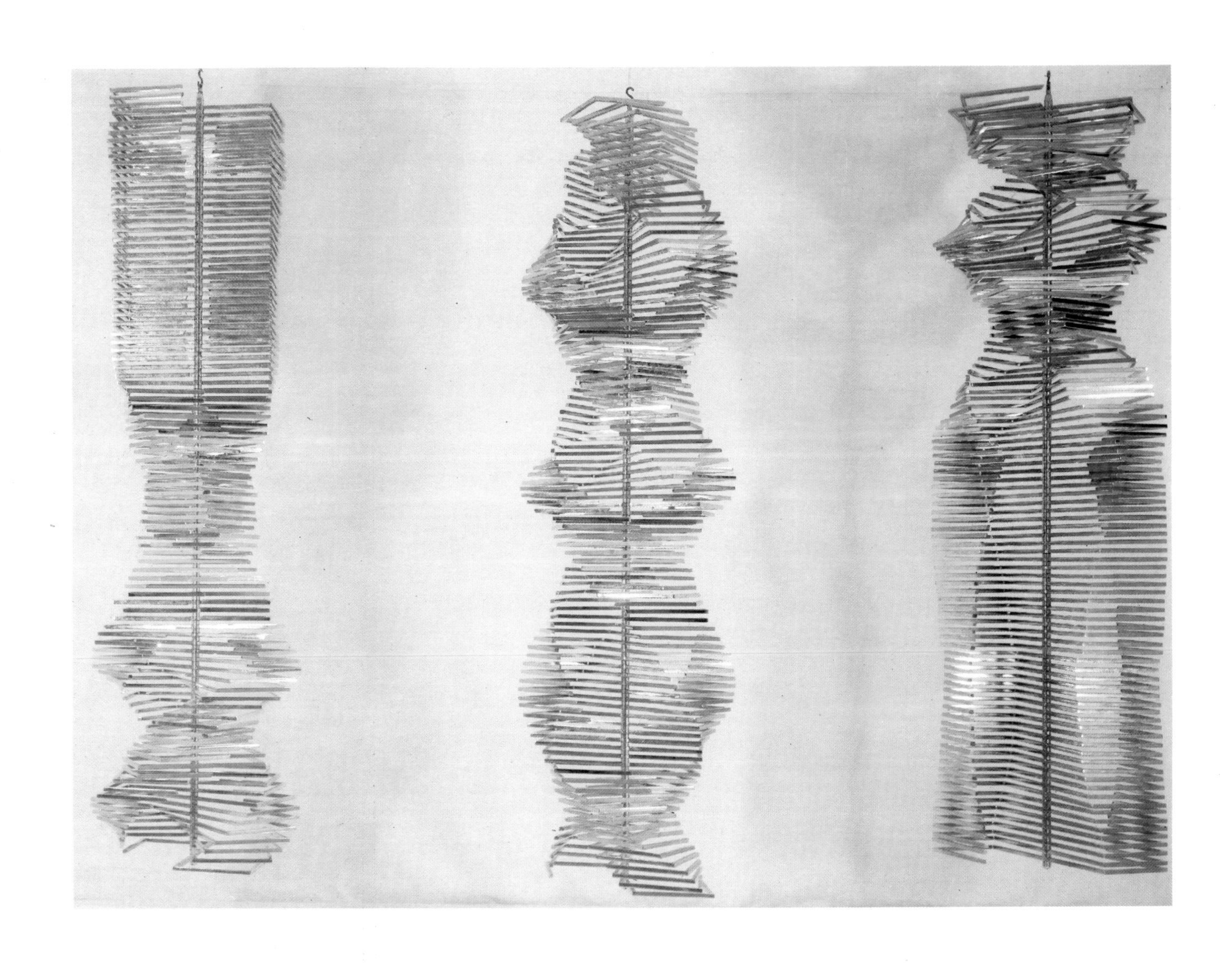

TRES COLUMNAS, 1974
Acero cromado
190 × 52,5 cm. cada una

SUR-GEOMETRIES, 1972
Serie de serigrafías
72 × 53 cm.

Torner, Gustavo
Cuenca, 1925

Esta carpeta de gran formato contiene nueve homenajes a sendos grandes arquitectos del pasado y del presente: Brunelleschi, Alberti, Palladio, Herrera, Borromini, Dietterlin, Boullée, Van der Rohe, Enshu, que son prueba, además del talento creativo de Gustavo Torner como pintor, de sus aficiones como escultor-arquitecto. Aunque la formación de este artista fuese, en principio, forestal, es fácil leer, en sus monumentos conmemorativos una vocación o, al menos, una afición a lo edificatorio, que en tiempos de muchos de los arquitectos conmemorados en esta carpeta (en los que no se exigía para construir un título profesional, sino que bastaba con ser experto en las artes del diseño y tener vocación y gusto, virtudes que posee Torner) le hubieran calificado para construir.

Las serigrafías tienen, en común, un fondo de color muy definido y liso, sobre el cual se recorta, también de modo muy conciso, el o los motivos que evocan a cada uno de los arquitectos celebrados. El arte de Brunelleschi, autor de la cúpula de la catedral de Florencia, es evocado por una curva que es como un corte de ella, junto a una escala a bandas blancas y negras y un segmento aproximadamente triangular que indica el suelo, todo ello sobre fondo amarillento. León Bautista Alberti merece una composición espacial, en la que, bajo un arco de medio punto y sobre un trapecio que señala el suelo en perspectiva, flota un poliedro de caras pentagonales que hubiera complacido a Paccioli. Las impecables imbricaciones de Palladio son evocadas por dos recintos cuadrangulares, uno de los cuales opone en sus mitades un semicírculo y un abanico de líneas de fuga. Herrera se distingue por su elegante simplicidad: sobre el fondo, grisáceo como el granito de El Escorial, se abren regularmente ventanas blancas, a niveles sincopados. Wendel Dietterlin es como una apoteosis que va preparando el advenimiento del Barroco, aprovechándose hábilmente la matriz de un grabado alegórico, impresa en tono dorado. El rojo domina en el homenaje a Borromini, en el cual se oponen las perspectivas, rectas en la parte baja, curvas en la superior. El homenaje a Boullée pudiera ser una extraña pirámide de esas arquitecturas imposibles del famoso iluminista. En los otros dos arquitectos domina la geometría regular, rectilínea. Pero así como Enshu nos presenta una concatenación de rectángulos y listones, a modo de plano de un proyecto, a la vez, simple y complejo, Ludwig Mies van der Rohe se distingue por lo aéreo, lo diáfano de dos ángulos entre los que asoman dos haces de líneas perspectivas, con esa naturalidad con que el constructor del desaparecido Pabellón Alemán de la Exposición de Barcelona, 1929, combinaba lo interior y lo exterior.

Esta colección de estampas impecables, de tonos contrastados felizmente, es, al mismo tiempo, un comentario crítico (evidentemente, favorable y hasta entusiasta) de los diversos estilos de los nueve arquitectos elegidos por el autor.

Zóbel, Fernando
Manila, 1924

La vista es la que se contempla de la maravillosa Hoz del Huécar, ya sea desde las Casas Colgadas, sede del Museo de Arte Abstracto Español de Cuenca, como desde cualquiera de los estudios de los artistas que han dado a la ciudad castellana su actual reputación mundial. Un exquisito sentido de la estilización de lo visible ha hecho que Zóbel, conocedor del arte Zen, haya ido eliminando detalles, más o menos superfluos, hasta detenerse al borde de lo abstracto o de la nada. Las manchas de aspecto acuarelado, los leves acentos negros, el rectángulo blanco que se adivina, más que se ve, en el centro, son datos precisos, que no sólo sitúan el lugar, sino que lo acompañan de una resonancia poética. Más que un paisaje, es una meditación sobre el paisaje: una auténtica abstracción.

En los comentarios a otras pinturas de este artista se ha aludido a su exquisita y exigente manera de estilizar la visión del exterior, suerte de compromiso entre la perspectiva occidental y la oriental, alimentado por un sentimiento casi panteísta de la naturaleza, y por un delicado juego de valores luminosos, basados en colores intermedios de casi imposible definición. Hay como una tensión entre lo representado y el modo de representarlo, que desemboca en la sensación de resolutiva calma que se transmite al espectador con la obra definitiva. *La contradicción en la pintura crea tensión, diálogo y conversación. La unión de opuestos armoniza y define. La contradicción en arte no siempre significa enfrentamiento. Puede ser la solución y el porqué.* Son frases de Fernando Zóbel, a modo de explicación de su manera de trabajar, apaciblemente, como un antiguo pintor chino. *A veces la pintura es... escuchar un diálogo, una conversación entre dos colores, o mejor aún, entre tres (uno de ellos muy estrictamente observado y los otros dos inventados en relación al primero...) o el VER cómo una cosa se va convirtiendo, con toda naturalidad, cargada de razón, en otra.* De la *vista* de Cuenca hemos llegado al *cuadro.*

LA VISTA, 1974
Oleo sobre lienzo
180 × 300 cm.

LUGAR DE ENCUENTROS, 1974
Hormigón
Altura 300 cm.

Chillida, Eduardo
San Sebastián, 1925

Esta escultura es interesante por varios conceptos. Señalemos, en primer lugar, su material, el hormigón, del que no se han borrado las rayas y asperezas del encofrado de madera que lo hizo posible: Chillida, que en otros casos emplea hierro, madera o alabastro, ha querido aquí subrayar lo *callejero* de esta obra, haciéndola de una materia semejante a la empleada en la arquitectura vulgar de nuestro tiempo. Se trata, pues, de una escultura de exterior, la versión actual de los monumentos conmemorativos del siglo XIX, tan abundantes en Madrid, destinada a amueblar y a dar sentido a un espacio urbano, que a falta de ella sería absolutamente semejante a otros mil. Pero aquí ya no se va buscando lo ejemplar en la figura del héroe colocado en un pedestal, modelo del transeúnte, pero ajeno a éste: lo que se quiere es que el transeúnte se sienta aludido, invitado a entrar en el juego de curvas acogedoras que le brinda este *Lugar de encuentros.* Las formas de tenaza de los cuatro módulos que componen la obra no son agresivas, sino abiertas como brazos. Crean entre ellas un espacio, a la vez libre y protegido, como un recinto sin barreras, propicio a la relación social entre individuos que pasan del anonimato al conocimiento mutuo. Las cuatro piezas de cemento son ya como una afirmación de fe en lo plural unido.

Por lo que se acaba de exponer, *Lugar de encuentros* es una obra que rebasa el tradicional concepto de la escultura, para entrar en lo arquitectónico. En efecto, la mayor diferencia entre una y otra de esas artes del espacio es la penetrabilidad de la arquitectura, su carácter de refugio o recinto para el hombre. En la escultura antigua ello era excepcional: el *Coloso* de Rodas, una de las desaparecidas «maravillas», que servía de puerta de entrada al puerto, o la gran esfinge de Gizeh, junto a El Cairo, son los ejemplos más famosos de una escultura arquitectónica, más que por su propia esencia, por su colosalismo, heredado por algunas obras modernas, como la estatua de la Libertad, en el puerto de Nueva York. En realidad son esculturas ampliadas, sin un concepto realmente arquitectónico. En el siglo XX, con Henry Moore, con Bárbara Hepworth, con Sandy Calder, etc., y aquí con este cemento de Chillida hallamos una escultura que, sin perder sus cualidades de belleza ideal, sirve de compañía o protección, de estímulo y de juego, al ser humano que la *habita.*

Guerrero, José
Granada, 1914

Cuatro acepciones tiene la palabra *cruce* según el Diccionario de la Real Academia Española. Descontando la cuarta, referente a la cría de animales, quedan tres y cualquiera de ellas puede justificar el título de este lienzo de José Guerrero: acción de poner dos cosas en forma de cruz (como se cortan en este óleo la barra blanca con la negra); punto donde se cortan mutuamente dos líneas, por ejemplo, el cruce de dos caminos (como cabría que fueran esas dos bandas); y paso destinado a los peatones (que en este caso sería la banda o sendero blanco partiendo del borde o margen negro). Es de suponer que el pintor pensó en la primera,

CRUCE, 1975
Oleo sobre lienzo
128 × 170 cm.

cuando tuvo que bautizar su obra. Él, instintivamente, había sentido el deseo de cortar esa banda blanca (grisácea) por la banda negra, sobre un fondo rojo. ¿Cabe seguir hablando de *fondo* en una pintura abstracta como ésta? En la pintura tradicional, el *fondo* tiene un papel claramente secundario, aunque en ocasiones (como en las ventanas o *vedutas* de los primitivos flamencos) pueda ser tan bello como el primer término. El fondo es lo que se coloca detrás de lo fundamental, como el fotógrafo colocaba su forillo o decorado tras las personas que retrataba antaño. Pero ¿acaso no es fundamental ese campo rojo, tanto como las dos bandas, blanca y negra, que lo cruzan? Desde el momento en que el artista pintor abandona toda veleidad de captar una tercera dimensión, el espacio o el vacío, mentida a través de las dos dimensiones del cuadro, la palabra *fondo* carece de valor. El cuadro, como decía el pintor *nabi* Maurice Denis, es, antes que nada, una *superficie cubierta de colores dispuestos de cierta manera:* aquí no se establecen protagonismos y tan esencial es el rojo como el negro o el blanco sucio que componen este cuadro de Guerrero. Y, sin embargo, no podemos evitar la idea de que esas dos bandas, negra y blanca, cruzan sobre el rojo, pese a la particular virtud que, según los profesionales de la óptica, tiene este color para colocarse por delante de otros, como si se hallara más cerca del observador (cualquier pintor de paredes sabe que, si pinta los tabiques de encarnado, la habitación parecerá más pequeña que si los pinta de otro color más frío: azul, verde,... o ¿por qué no?, blanco agrisado o negro, como los empleados por Guerrero en este *Cruce).* Es evidente que a la ilusión de que las dos tiras están *encima* y el rojo *debajo* contribuye poderosamente el hecho de que el último sea más extenso y hasta ocupe los intersticios que el blanco y el negro dejan junto al borde. Por lo demás, el pintor ha tenido la coquetería de trazar, como al desgaire, una rayita negra que empieza a cruzar el campo rojo, paralelamente al camino o banda negra, y que se interrumpe luego, para reaparecer después del camino blanco, que queda así decididamente *por encima.*

Esa rayita, además de servir (conscientemente o no) a salvar esa referencia tradicional a la tercera dimensión, contribuye a equilibrar los campos de color, como un eco leve del negro, destinado a disminuir el poder del colorado y a dividir idealmente la composición en zonas paralelas, cortadas por la banda blanquecina, la cual sería poco significante para equilibrar el peso del rojo y del negro —dos colores muy sólidos—, por lo que Guerrero establece también su eco correspondiente, a modo de uña o portezuela abierta en la zona negra. El equilibrio tenso, pero fuerte, resultante de esas maniobras que el artista realiza por reflexión o a veces por instinto, hace que este cuadro, de tan sencillos elementos, tenga un enorme poder de seducción.

Feito, Luis
Madrid, 1929

Ver págs. 33 y 91

Ver págs. 84 y 118

La numeración de los cuadros de Feito corresponde a un orden cronológico de *Opus,* semejante al de los catálogos de los compositores musicales (por ej. K-361 o K-581 en obras de W. A. Mozart), que generalmente han de clasificar obras de carácter abstracto (en el ejemplo, una serenata y un quinteto) que carecen de un título *figurativo.* Un número elevado, como el *1077,* de este cuadro, corresponde, indudablemente, a una fecha de elaboración posterior a la de *148* o *460-A,* y será anterior a la del número *1427-M,* también propiedad de la Fundación Juan March, que es de 1975. Pudiéramos situarlo a comienzos de la década de los setenta, cuando Luis Feito renuncia por completo a dos elementos expresivos de gran encanto, que habían caracterizado sus obras de fases anteriores: la pasta espesa y los contornos irregulares, que permitían situarlo entre los cultivadores del *informalismo* o lo que en francés se llamó *tachisme* (manchismo, de *tache,* mancha). En obras más maduras, como ésta, se aproxima a la regularidad geométrica, pero sin confundirse con el *Op Art,* ya que, por una parte, siempre suele dejar algún elemento indefinido, en el caso comentado las dos prolongaciones o tallos —uno recto, otro angular— que parecen sostener las dos notas amarillas, en forma de círculos incompletos; y porque, por otra, sigue dando importancia a la textura, al grosor, a lo que cabe llamar *calidad* de la materia pictórica, que en el arte óptico-geométrico más típico (pensemos en Vasarely, en Herbin, en Orcajo, Barbadillo, Yturralde o Perales, por sólo citar algunos ejemplos) trata de alcanzar la perfección impersonal de la máquina, mientras que en Feito nunca deja de acusar ciertas diferencias o irregularidades, que son muy perceptibles; en el ejemplo que nos ocupa, el grosor de la pasta de las circunferencias que rodean los tres círculos que son la base de la composición, el grande, rojo, y los dos citados, incompletos, amarillos.

Se aludía en otros comentarios a Feito al aspecto de fenómeno astronómico que tienen muchos de sus cuadros, en especial en la primera época, en que sugieren soles o lunas medio ocultos en celajes. Hay que reconocer que incluso en obras como este *Número 1077,* la alusión solar parece ineludible. No de otro modo que con un círculo rojo incandescente, como éste de Feito, nos han acostumbrado algunos artistas modernos, como Paul Klee, a *leer* el signo solar, siguiendo, por lo demás, una tradición más que secular. Ese rojo limpio sobre el anaranjado del fondo nos da una sensación de calor y de vida que, en nuestro sistema al menos (ignoramos si los supuestos habitantes de otras galaxias pensarán lo mismo), está relacionada con el sol, centro de nuestra vida, identificado en algunas religiones arcaicas —como la de Amenofis IV de Egipto— con la Divinidad. Pero ¿cómo interpretar las dos notas amarillas, gemelas pese a sus tallos distintos, de una intensidad acaso menor que la de la gran mancha circular encarnada, pero, si consideramos los valores (es decir, la mayor o menor proximidad al blanco, o sea a la claridad o luminosidad) superiores a ella? Precisamente, la pequeñez de su tamaño se equilibra hábilmente por el aumento de calidad. Bastará que fijemos la vista unos momentos en esta tela para que lleguemos a pensar que lo que la ilumina, como si se tratara de dos bombillas eléctricas, son esos dos puntos amarillos, fértiles como el sexo mismo, acercándose al enorme disco rojo como si trataran de contagiarle su incandescencia y su vitalidad. En todo caso, se trata de una composición de gran interés cromático en la que, pese a la yuxtaposición de tonos cálidos, Feito ha conseguido armonía y equilibrio.

NÚMERO 1077, 1974
Oleo sobre lienzo
150 × 200 cm.

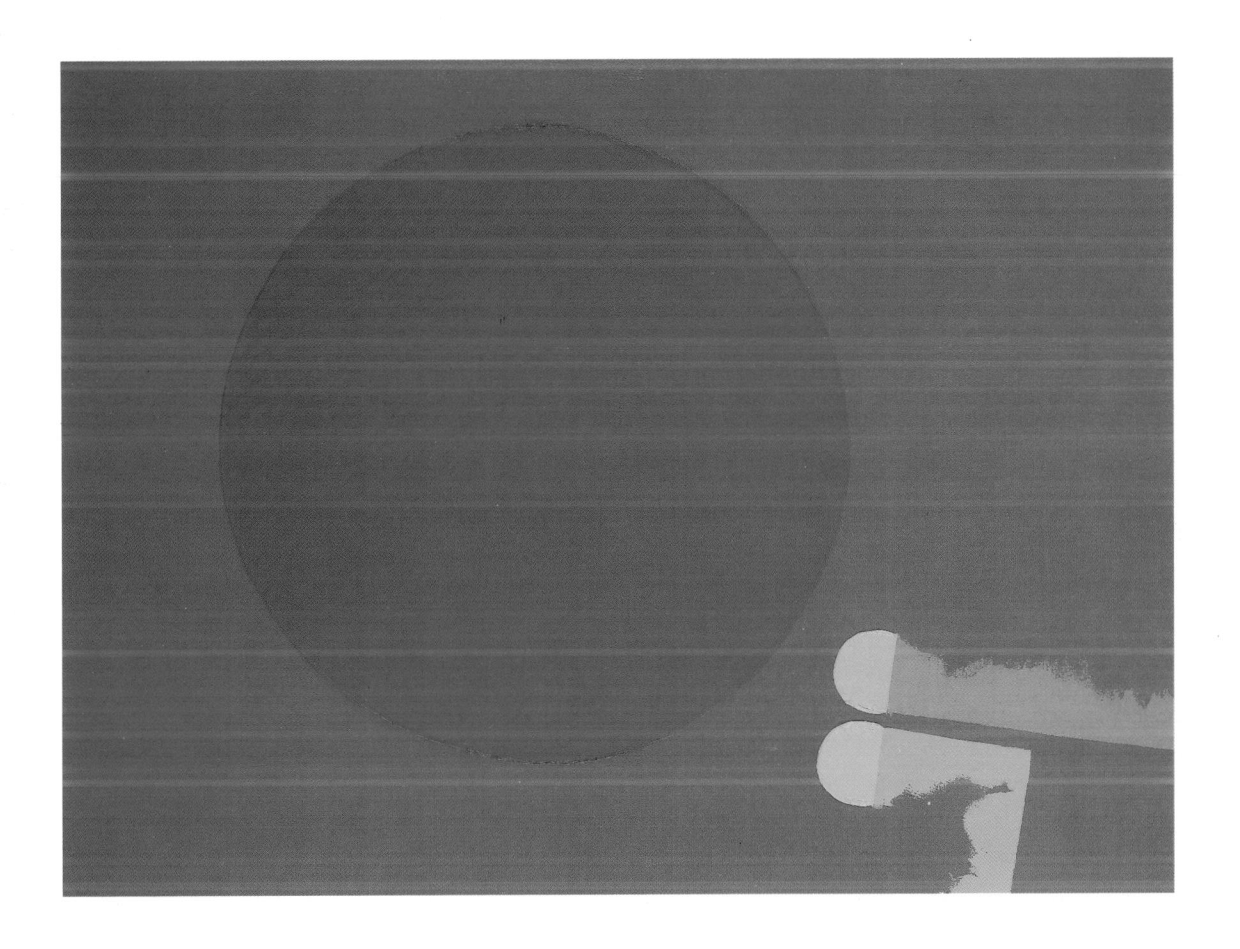

Hernández Pijuán, Joan
Barcelona, 1931

Es muy propia de nuestra época la afición a desmembrar una obra de arquitectura, escultura o pintura, en varias partes o piezas, que existen por sí mismas, pero que no alcanzan su pleno sentido en relación unas con otras. Del políptico articulado, que pretende resolver simultáneamente a fines de la Edad Media los problemas de la *inserción* de la pintura en un espacio vivo y móvil y de la *manipulación* de unas imágenes de modo que correspondan idóneamente a la intención de quienes las muestran (pensemos en el políptico *Adoración del Cordero Místico* por los hermanos Van Eyck en la catedral de San Bavon, en Gante, *espectáculo* edificante sobre el Pecado original, la Redención y la Salvación, cuyos episodios podemos relacionar según lo cerremos, lo entreabramos o lo abramos totalmente), a la separación de los componentes, sin más anhelo que el de ocupar realmente el espacio cotidiano, pudiéramos trazar una dirección estética, que juega con el espacio pintado a la vez que con el espacio real. Un buen y reciente ejemplo es esta *Horizontal* del pintor barcelonés Joan Hernández Pijuán, formado en la Escuela de Bellas Artes de su ciudad natal, que desde los veinticinco años, aproximadamente, adopta una posición antitradicional abstraccionista, relacionada con los movimientos *support-surface* y el que en la pasada década se denominó *pintura-pintura,* pero en donde, con cierto tono entre conceptista e irónico, aparecen de vez en cuando fragmentos figurativos: por ejemplo, en su *Homenaje a Lucio Fontana* de 1971. vemos una (media) tijera como si acabase de cortar el cuadro verticalmente. Es revelador su interés un poco humorístico por el ítalo-argentino Fontana, redactor del *Manifiesto blanco* y autor de lo que llamaba *conceptos espaciales,* en que el cuadro era lacerado con grietas y agujeros en busca de una tercera dimensión *real.* Hernández Pijuán ha dicho: *Mi preocupación es por el espacio plástico: aislar objetos o formas reales, con el intento de darles gran realismo, para crear, sin deformarlas, nuevas sensaciones.* Ese sería el caso en la tijera del cuadro citado. Pero más adelante, en lugar de cortar —realmente o en la idea— el cuadro (esto es, el mentido espacio del cuadro), Pijuán va a buscar el espacio de fuera del cuadro. El título de *Horizontal,* más que a los dos rectángulos cubiertos de pintura extendida a pequeñas pinceladas oblicuas y regulares, se refiere al *callejón* que los separa y que forma parte del muro donde estén colgados. Es un modo simple y perentorio de ocupar el espacio: algo que, como hubiera dicho André Bloc, pertenece a la escultura, pero que aquí vemos realizado en pintura, como una demostración más de la inanidad de las fronteras entre las artes.

HORIZONTAL, 1978
Oleo sobre lienzo
50 × 195 cm.

ÁMBITOS DE LUZ, 1979
Oleo sobre lienzo
146 × 114 cm.

Mignoni, Fernando
Madrid, 1929

Hijo de un pintor y escenógrafo de ascendencia italiana, Fernando Mignoni vive desde la infancia en un ambiente artístico muy relacionado con las artes plásticas, pero también con la literatura, la música y la danza (su madre fue «bailaora» de flamenco), por el que conoce a Valle-Inclán, Lorca, Martínez Sierra, Neville, etc. Su vocación estética, que le lleva a iniciar estudios de pintura a los dieciocho años, se ve así impregnada de un sentido poético, que va a informar buena parte de su obra. Su primera exposición individual, en el Ateneo de Madrid —después de otras varias colectivas con el grupo *Artistas de hoy*—, revela a un pintor figurativo, rabiosamente expresionista, con un sentido de la composición, angulosa y de perfil, astillado, hasta cierto punto paralelo al que en París ha dado fama a Bernard Buffet. Pero no tarda en abandonar esa agresividad y la austeridad del color, para remansarse en zonas más personales, más íntimamente líricas, que ya se revelan en la sala de que goza en la Bienal de São Paulo de 1961. Tras su boda con Elvira Cristóbal, hija también de un artista plástico, el escultor Juan Cristóbal, y de una bailarina de rango español, reside cuatro años en París, donde elabora su nuevo estilo, romántico, casi ensoñado, de colores y contornos vagorosos, con cierto tono elegíaco, de mares y brezales, que pudiera hacer pensar en los poetas ingleses. Gerardo Diego escribe, en 1971, que su pintura *es poética por elevación de propósito y también por estar pintada o escrita o rimada en verso, entendiendo por verso la melodía verbal no moldeadamente exacta, sino aproximada y suelta en la libertad ordenada con un lícito, elástico coeficiente.* Esa elasticidad, que va dando independencia cada vez mayor a sus temas y composiciones, desemboca, naturalmente, en la abstracción, sin renunciar a ese sentimiento de Naturaleza ni al colorido, con dominantes ocre-verdosas y amarillentas o azules y grises. Una serie de experiencias realizadas por el sistema del *collage,* pero de una yuxtaposición de papeles no recortados a tijera, sino desgarrados a mano, lo que aumenta su aspecto romántico, le lleva a aplicar esas formas en la pintura y en la escultura.

Ello se aprecia en su obra *Ambitos de luz* en la cual el color amarillo que ocupa buena parte de la tela no puede considerarse fondo, sino todo lo contrario, ya que al entreabrirse, en desgarraduras angulosas y dentadas (con las que, hasta cierto punto, el artista vuelve a su sistema compositivo de la época figurativa), deja asomar tonos ligeramente más claros, como en una pared que hubiera recibido varias capas de enlucido y, al agrietarse, las descubriese parcialmente. La materia, muy cuidada, conserva también esa referencia a una obra muy manual, de artesanía. Esa sugerencia de la actividad del hombre en estas obras aparentemente tan abstractas da la medida del temperamento secreto y romántico de este pintor. Hasta cierto punto paradójico, el título *Ambitos de luz* nos refiere a un *espacio comprendido dentro de límites determinados (ámbito* según el Diccionario de la Academia Española), pero ampliado ilimitadamente por su carácter luminoso.

ALMUDENA, 1975
Bronce
Ancho 260 cm., alto 175 cm.

Berrocal, Miguel
Algaidas (Málaga), 1933

Este escultor malagueño se ha hecho mundialmente famoso por sus esculturas montables y desmontables, a modo de rompecabezas de salón, de tamaño reducido *(Romeo y Julieta, El Cordobés, David,* etc.), impecablemente editadas en metal, en series numeradas, que, partiendo de un tema conocido de todos, abstraen unas formas puras y decorativas que son como su comentario, ligeramente irónico. Con ellas responde a dos corrientes de nuestro tiempo: la tecnológica (puesto que son obras que pudiéramos llamar *fabricadas,* en las que el latir de la mano del autor está ausente) y la democrática (que trata de poner la obra de arte a disposición de muchas personas). Sin embargo, en casos excepcionales, como el del monumento a su paisano Picasso, ofrecido a la ciudad de Málaga, o en esta *Almudena,* el escultor realiza una pieza única y no seriada, aunque sin privarla del aspecto de objeto industrial, que le da su carácter moderno, y de una intención anti-monumental, como de bibelot de interior, que presta a su gran tamaño un paradójico énfasis. El juego de las formas tentaculares, que deja en su interior espacios libres, aunque inaccesibles, así como el contraste de textura y color entre el bronce y el granito del pedestal, da a esta forma extrañamente orgánica un curioso aire neo-barroco.

Las esculturas de Berrocal, grandes o pequeñas, seriadas o no, nos brindan también alicientes por mucho tiempo ausentes de la obra de arte: su valor de objeto *de curiosidad,* fruto de una completa y exquisita artesanía, que renueva la perdida tradición de los autómatas bizantinos (el pájaro de oro que cantaba sobre el trono del Emperador cristiano, cuando recibió a la duquesa Olga de Ucrania) o del Extremo Oriente (esas piezas de marfil chino, a modo de esferas armilares o poliedros, que la paciencia del constructor ha apresado inexorablemente, unas dentro de otras), en ocasiones reanimada en más cercanos tiempos y latitudes por inventores como Juanelo Turriano. La mente de Berrocal trabaja como la de un inventor, partiendo de una idea central, que va sometiendo a variaciones, torsiones, descomposiciones, interpretaciones. Sus obras, salidas del taller casi demiúrgico de Negrar, junto a Verona, tienen la impecable y dura perfección de las máquinas científicas y de las cerraduras de alta precisión.

SIN TÍTULO, 1979
Acrílico sobre lienzo
203 × 134 cm.

Campano, Miguel Angel
Madrid, 1948

Campano cursó simultáneamente estudios de Arquitectura y Bellas Artes. Es significativa la cantidad de pintores del siglo XX que han comenzado por ser arquitectos o abogados; acaso de ello provengan las tendencias constructivas o conceptuales de la pintura contemporánea. Campano comienza siendo un pintor constructivo que, a partir de 1970, lleva adelante una carrera de autodidacta, aunque influído, evidentemente, por los más rigurosos seguidores del *Op Art.* Dentro de esta tendencia, sus exposiciones al principio de los años setenta revelan a un artista ya maduro que comienza a ser conocido gracias, en especial, a algunas excelentes serigrafías.

Pero, algo después, manifiesta hacia la geometría el mismo cansancio que otros muchos abstractos. Va buscando entonces una pintura lírica, libre, casi intuitiva, basada en la libertad de ritmos y colores, no demasiado alejada de la escuela de Nueva York. En ello influye su admiración y amistad con el pintor José Guerrero, que alcanzó su plena personalidad en Estados Unidos, donde llegó a ser profesor y que, en cierta medida, lo sigue siendo al dirigir a Campano por su nueva senda, casi diametralmente opuesta a la que antes había seguido. Contra la sencillez de los planos rectilíneos, una multiplicidad de líneas y de acentos espontáneos y movidos; contra la tendencia a la austeridad cromática, lindante en ocasiones con la monocromía, la total libertad de la paleta, dentro de los límites de un seguro gusto; contra el mutismo de la lógica, un arrebato lírico; contra la preparación minuciosa y racional, ese abandonarse a la embriaguez de la acción de pintar, propia del expresionismo abstracto americano.

Ver pág. 72

Ello es bien perceptible en este cuadro *Sin título* donde dominan y centran la composición campos verdes, jaspeados de rayas amarillas y entreverados de cuñas azules. Para aumentar el aspecto de la espontaneidad, de improvisación, para quitar todo resto de solemnidad a la obra, Campano se permite algunos escarceos con el *collage,* pegando en un ángulo varios trozos irregulares de diario. El resultado es una amplia composición decorativa, en la que se echa de ver (como, por lo demás, en las obras gráficas que el artista realiza al mismo tiempo), una delectación por la actividad de pintar, que de ser *cosa mentale* se va convirtiendo en *cosa sensuale.*

CONFERENCIA, 1976
Oleo sobre madera
141 × 216 cm.

Rueda, Gerardo
Madrid, 1926

Ver pág. 89

En el comentario sobre otra obra de Gerardo Rueda, la titulada *Gran pintura blanca,* se alude al aspecto interdisciplinario o fronterizo de su pintura, arquitectónica por su preocupación por captar un espacio real y jugar, muy seriamente, con él. Allí se subraya ya su afición al empleo, en cada obra, de dos o más tablas o lienzos, que cabría variar en sus relaciones mutuas, al menos idealmente.

A fines de la Edad Media se pusieron de moda las pinturas articuladas sobre varias tablas o soportes, polípticos, trípticos o dípticos, que permitían a su poseedor transportarlas con mayor facilidad que si fueran cuadros independientes y crear, al abrirlas, un verdadero espacio o ámbito, resultante de la relación de unos y otros. El díptico es la forma más sencilla, compuesta de dos soportes del mismo tamaño, y la más antigua y prestigiosa, ya que los cónsules del Bajo Imperio Romano los llevaban, en marfil tallado, como emblema de autoridad. No es ésta, evidentemente, la intención de Gerardo Rueda ni de otros muchos artistas que, desde mediados del siglo XX, han buscado en la pluralidad de sus soportes como una solución al eterno problema del espacio figurativo y de las relaciones entre la superficie pintada y el soporte en que se apoya. La intención de Rueda es más bien crear un contraste positivo-negativo con los dos fondos, claro-oscuro, sobre los que engarza, como un tema musical, las horizontales superpuestas en rojo, como si se tratara de dos proposiciones opuestas, pero complementarias. Arte abstracto y severo, que nos da en relieve una tercera dimensión que su pintura ya no busca.

Una tercera dimensión que resulta no sólo de ese juego real de los volúmenes, antaño propio de la escultura, sino de la bi-partición del soporte, dentro de esa ilusión de díptico plegable que acabamos de examinar y que el espectador, mentalmente, al menos, maneja y cierra como un libro.

HORIZONTE, 1978
Temple sobre tabla
60 × 60 cm.

Sempere, Eusebio
Onil (Alicante), 1924

Esta obra de Eusebio Sempere se compone de cuatro pinturas cuadradas, a modo de políptico, que producen un cuadrado mayor. Cada una de ellas puede considerarse, a la vez, como abstracta —juego de delicadísimas líneas coloreadas, en general horizontales, en algun momento levemente oblicuas, para formar *aguas* o *moarés*— y como figurativa, como evocación irresistible de extensiones de tierra, hierba o agua, de apaciguante sentido horizontal. Hay todo un sabio juego de reflejos y brillos conseguido, como por casualidad, por la irreprochable repetición de esas rayitas hasta lo infinito.

Sempere vuelve en esta obra a una tradición levantina, la de la pintura luminista de Sorolla o Pinazo, maestros en la captación de los brillos y reflejos del sol en campos móviles, de hierba, de cañas, de agua; pero responde asimismo a una tendencia universal del arte contemporáneo, la de la expresión óptica abstracta, que equivale a una vivencia figurativa, sin tratar de *reproducirla* literalmente, sino traduciéndola a otro sistema de signos. Y no deja de ser muy elocuente que muchas de estas obras de Sempere, tanto las escultóricas, hechas de barras paralelas, como las pictóricas, basadas en el paralelismo de las líneas que se cortan, nos dirijan inmediatamente y con enorme pureza a una memoria óptica, a nuestras propias experiencias al contemplar la Naturaleza: a veces con más intensidad e inmediatez que el arte llamado figurativo. Y ese aspecto de referencia se hace evidente si tratamos de colocar esta obra en otra posición, haciéndola girar un cuarto de círculo, de manera que las rayas que la componen queden verticalmente: nos parecerá que carece del sentido y de la poesía que la impregnan en su posición correcta, horizontal.

La enorme delicadeza del color, las alteraciones de luces y sombras que las tonalidades de las líneas introducen, dan a esos paisajes abstractos ese aspecto de serena eternidad que (por desgracia y, paradójicamente, de modo fugaz) advertimos en los lugares planos, a orillas del mar, en los crepúsculos matutino o vespertino. Esa serenidad queda enriquecida por el relativo contraste de las cuatro obras que constituyen el políptico (dos claras y dos oscuras) y que, en armonía entre sí, son como los cuatro movimientos, semejantes pero distintos, de una composición musical.

Nos percatamos de que el arte geométrico de Sempere tiene un inmenso poder sugerente. Aquí hemos brindado unos ejemplos pero, naturalmente, no unas reglas. No es necesario buscar esas analogías para el goce de una pintura de Sempere o de cualquier artista abstracto, como tampoco lo es para disfrutar con las formas de una nube o de una roca el compararlas con seres o *cosas otras:* se trata, sencillamente, de una posibilidad de disfrute más en ese punto de coincidencias visuales y sentimentales que lleva consigo la obra de arte auténtica, de efectos infinitos según quién la mira y cuándo y cómo la mira, y que por esa misma versatilidad es de belleza inagotable.

Palazuelo, Pablo
Madrid, 1916

Contaba el gran escultor español Julio González que su amigo Pablo Picasso le decía en cierta ocasión que una escultura no es más que la proyección en el espacio de un cuadro; basta recortar los planos de color, los campos de valores, para hallarnos ante una escultura. Esta afirmación viene a la memoria al considerar las esculturas de Palazuelo, como este *Proyecto para un monumento,* después de haber contemplado sus cuadros. Las partes planas de la escultura, comparables a paletas, tienen formas levemente escoradas, redondeadas en sus vértices, que hacen pensar en un cuadro que se hubiese proyectado al espacio, según la idea picassiana. Palazuelo siente la atracción de la escultura –como Edgar Degas, Auguste Renoir, Rik Wouters, Amedeo Modigliani, Henri Matisse, René Magritte, etc.– después de haber dominado su concepto de la pintura. En ésta, alentaba una fuerza subterránea, fuego latente, de secular maduración, que, al fin, parece haber estallado en la escultura, como un volcán en erupción. Palazuelo está embriagado –dentro de su habitual parsimonia– por la posibilidad que la escultura le ofrece de ocupar el espacio en todas dimensiones. Los planos de esas esculturas se despliegan, evocando formas que vuelan, aves o aviones. Así en esta obra o en otra de la colección de la Fundación Juan March, elocuentemente titulada *Sueño de vuelo,* 1977.

El título de la obra aquí comentada no es menos revelador: *Proyecto para un monumento.* Esta palabra, *monumento,* está tomada en el sentido de construcción arquitectónico-escultórica conmemorativa de un hecho o de un personaje, que se le atribuye, por antonomasia, en el siglo XIX y primera mitad del XX. El *monumento* es lo que define, en ese período, la importancia, la capitalidad, el urbanismo de una agrupación de viviendas. Es lo que ordena los espacios, lo que centra las perspectivas, lo que enternece la frialdad de los planos ortogonales, lo que compensa la desornamentación creciente de los edificios; es, también, lo que brinda a los ciudadanos un ejemplo a imitar, un hecho de altura que admirar y respetar. Todo ello en relación con una idea de comunidad de intereses y hasta de opiniones (lo ideal es un monumento costeado por suscripción), y con una cultura preferentemente peatonal, que hace de la plaza el sucedáneo moderno del ágora o del foro antiguos, donde los ciudadanos aprenden a tratarse y a conciliar sus intereses. Lleva así el *monumento* un peso simbólico, retórico y decorativo que los artistas modernos tratan de eliminar o, al menos, de poner en relación con modos de vida más actuales. Este *Proyecto para un monumento* no sabemos lo que conmemora: pudiera ser un vuelo interplanetario, un invento benéfico, una ley libertadora, algo, en fin, evocador de sentimientos de soltura y de dinamismo existencial. Pero lo que Palazuelo parece haberse propuesto es, antes que nada, la misión urbanística de ese *monumento* en una cultura vertiginosa, basada en el motor. Ya no es un *texto* que se lee: es una alusión que se caza, literalmente, al vuelo. Y la velocidad de nuestro paso, al verlo, aumentará sus características ilusionistas de volar.

PROYECTO PARA UN MONUMENTO, 1977
Hierro cortén
208 × 206 × 92,5 cm.

Mompó, Manuel H.
Valencia, 1927

Con una obra de Mompó comprendemos lo gratuito de clasificar las artes en figurativas y abstractas. Un pintor como él puede calificarse como el más figurativo de los abstractos y el más abstracto de los figurativos. Hay que oírle enumerar, con gracejo, los elementos de sus cuadros, que al espectador pueden resultarle tan enigmáticos como los de Klee o Kandinsky. Nos orienta con el título: *Estelas en un paisaje* es un modo de nombrar esos signos, rayas y punteados de colores vivos, con predominio de amarillentos y azulados —calientes y fríos— que animan la blanca superficie del lienzo, no de un blanco uniforme sino, como el de la nieve, hecho de reflejos de otros colores. Una vez dirigido, el espectador puede leer esos signos a su guisa, o no leerlos de ningún modo, apreciarlos como arabescos o ideogramas prehistóricos, o, simplemente, retener su movimiento caligráfico, su ligereza cromática, esa coreografía con que Mompó hace danzar a las formas más simples.

En este título, *Estelas en un paisaje,* hay que tener cuidado con la primera palabra, que se presta al equívoco. *Estela* es, según la Academia Española, *monumento conmemorativo, que se erige sobre el suelo, en forma de lápida, pedestal o cipo,* y aunque esa acepción es la que parece más lógica, al hallarla en un paisaje, no es la que más conviene; tampoco nos interesa, aunque sea vegetal, la acepción de *pie de león, estelaria, planta.* Pienso que Mompó deja en su paisaje sólido algo que los cuerpos sólo pueden dejar en lugares líquidos o gaseosos. Estela será, en su acepción más propia, la *señal o rastro de espuma y agua removida que deja tras de sí en la superficie del agua una embarcación u otro cuerpo en movimiento;* y, también, *rastro que deja en el aire un cuerpo luminoso en movimiento.* Los personajes o cuerpos que se movían en el paisaje visto por Mompó han dejado en él esas *estelas,* a veces rectas y rápidamente trazadas, como algo que corre velozmente; otras, tortuosas y curvilíneas, como de quien vagabundea; a veces contradictorias, entrecortadas, como un ser que vacila. Antes hablábamos de coreografía y es natural que estas estelas, que evocan en la fijeza del cuadro un movimiento evaporado, se asemejen a las anotaciones de los maestros de danza. Esas rayas, círculos, ángulos, flechas, a veces medio borradas, a veces nítidas, tienen la virtud de seguir moviéndose, como los rabos de las lagartijas, después de separadas del ser que pasó por el paisaje salino y del que son una prolongación, una *estela.*

ESTELAS EN UN PAISAJE, 1979
Oleo sobre lienzo
195 × 150 cm.

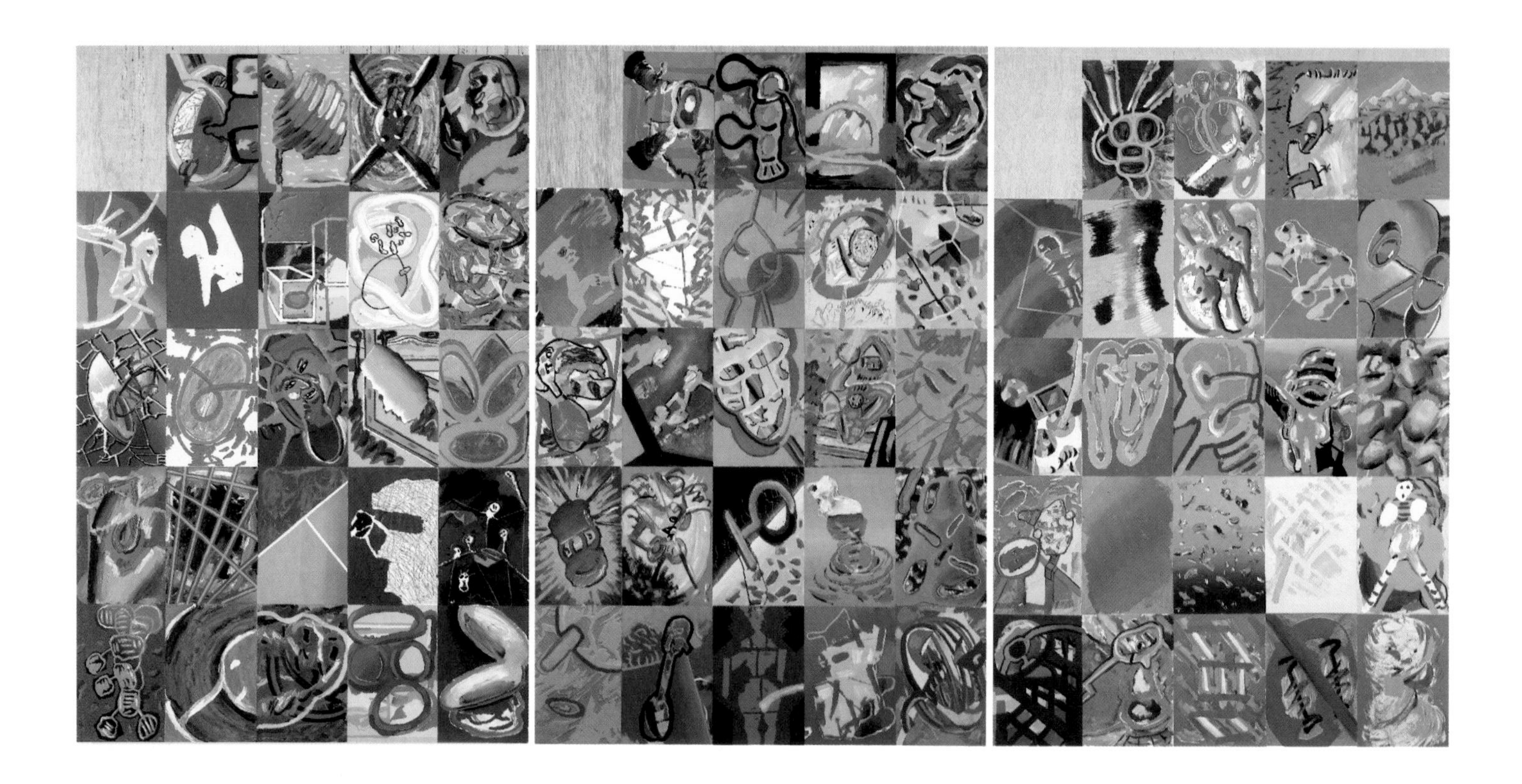

TRÍPTICO (5 × 5 – 1), 1981
Técnica mixta, collage y madera
3 cuadros de 159 × 107 cm. cada uno

Gordillo, Luis
Sevilla, 1934

Ver pág. 33

Nacido una década más tarde que la mayoría de los componentes de *El Paso,* y cerca de una década antes que la llamada *Nueva generación,* Luis Gordillo ha servido de punto de ruptura con la primera y de nexo de unión, más que con la segunda, con la que ya le sigue y que reconoce en él su paradigma. Tras estudiar

Derecho, como tantos artistas en busca de vocación, entra en la Escuela de Bellas Artes de Santa Isabel de Hungría, en Sevilla, concluyendo su aprendizaje en 1959, fecha en la que expone por vez primera en su ciudad natal. A partir de ese momento, su actividad es continua, primero bajo la influencia de un *Pop Art* americano, que no tarda en asimilar y en expulsar, para buscar en una fuente más española, los medios de comunicación de masas usados en la Península, dentro de sus diversas técnicas, generalmente muy primarias. La fotografía publicitaria, los anuncios, las etiquetas y embalajes, los *tebeos,* la juguetería barata, las ilustraciones pedagógicas primarias, todo sirve a Gordillo para realizar colecciones de objetos grotescos y enternecedores, de un mal gusto que linda (por el nadir) con lo genial. *La pervivencia oculta de elementos informales en transformación creo que es una constante en muchos pintores de mi misma generación artística...* —escribía Gordillo en el catálogo de su exposición de la *Serie Cabezas, 1963-66*—. *Durante unos años ha parecido que el geometrismo era la única solución a esta evolución; hoy, al menos yo así lo pienso, el problema está cambiando de identidad y más que una estructuración geométrica de la realidad, se va en busca de una ordenación de la libertad.* En 1974, el Centro de Arte de la Casa de Velázquez de Sevilla le brinda una retrospectiva, que abarca de 1958 hasta su fecha y en la que se asiste a las variaciones, repeticiones, seriaciones, llenas de inventiva y de abrupta poesía, de las etapas de Gordillo: tras las cabezas, las figuras que andan, los automóviles, la crisis explosiva que las sigue, las dobles figuras, los dípticos, las nuevas cabezas ya desintegradas en sus elementos más expresivos, etc.

El gran *Tríptico* de la Fundación Juan March está compuesto de veinticuatro elementos o cuadros en su parte central y veinticuatro en cada una de las alas. Todos ellos pueden considerarse como cuadros independientes, de un políptico numerosísimo; pero a la vez contrastan sabrosamente con sus vecinos. El lenguaje plástico de Gordillo es tan poderoso y original, pese a su aparente vulgaridad, que no admite una descripción o equivalencia escrita. Todas esas obras, setenta y dos en total, forman como un mundo caricaturesco suburbano y casi subterráneo, una infracultura en la que nos movemos, robotizada y estentórea, que se va alejando de sus primeras fuentes cosmopolitas —los neoyorquinos, Lindner, Dubuffet...— para adquirir una coherencia plástica inimitable.

Zóbel, Fernando
Manila, 1924

Este cuadro de Fernando Zóbel parece más aéreo, menos material que los anteriores. Aquí ya no hay, sobre la blanca página del lienzo vertical, huellas de tierra, de ríos, de edificios, de frondas, es decir, de cosas corpóreas, tangibles. Sobre un fondo blanco vemos como dos humaredas verdosas, animadas por hilillos negros y azul pastel: no son nubes, ni vapores, sino algo así como la estela dejada por el rápido vuelo de un ave marina. *Las gaviotas* no se ven, pero han pasado o están pasando: y esas manchas esfumadas, esas líneas que se disparan en haz, son como la indicación coreográfica de su infalible planear sobre el agua.

Otra vez nos hallamos, con Zóbel, en un ambiente chinesco, o al menos del Extremo Oriente: de quien se anonada ante la belleza de lo creado y sólo se permite una alusión devota hacia ella. Las obras últimas de Zóbel se detienen en esa delicada frontera entre el ser y el no ser. Una raya más y el cuadro sería redundante; una raya menos y sería indescifrable. Todo artista echa por encima de su visión de la realidad circundante un a modo de toldo o persiana que sólo deja percibir aquello que le parece fundamental: una criba o cedazo que sólo permite pasar lo menos material, lo más desprovisto de pesadez y monotonía. Los árboles de Zóbel son como una humareda; sus ciudades y tapiales, sus fachadas y edificios, un comienzo de esbozo de arquitecto, con un avaro tiralíneas. Al pensar en Zóbel, en su aspecto de persona sabia y madura, creo ver a uno de esos ermitaños que los pintores-calígrafos chinos sitúan en meditación, inmóviles, acuclillados, en el borde de un acantilado, planeando, como las gaviotas, sobre un universo poético del que sólo contemplan las líneas fundamentales.

Una gaviota es un ser admirablemente articulado, cuyo *diseño* es superior al de cualquier aeronave que trate de plagiarla; pero, precisamente por eso, inexcusablemente *presente.* Las grandes cejas de sus alas, lugar común de los malos cuadros de marinas, son demasiado fuertes para expresar la inmaterial pureza de su vuelo de planeadores. Zóbel ha prescindido de esos pájaros, de sus alas, sus picos, sus garras; y en esas rayas que invaden el espacio impoluto del lienzo, en esas humaredas que apenas lo matizan, ha querido concentrar la esencia de su purísimo volar.

LAS GAVIOTAS, 1982
Oleo sobre lienzo
150 × 100 cm.

PINTURA ROSA Y NARANJA, 1977
Oleo sobre lienzo
160 × 320 cm.

Teixidor, Jorge
Valencia, 1941

Ver pág. 33

Ver pág. 72

Jorge Teixidor estudió pintura en la Escuela de Bellas Artes de San Carlos, en su ciudad natal. Desde los veinte años formó parte del grupo llamado *Jóvenes valores* y, más adelante, de la llamada *Nueva generación,* que expuso en Madrid y otras ciudades españolas en 1967. Se trataba de dejar bien claro que esos artistas ya no pertenecían al grupo o generación de *El Paso,* que trató de despertar la actividad artística española en 1957 con una tendencia expresionista-abstracta, sino que eran de la generación siguiente, para la que esos aspavientos del *Action Painting* carecían de sentido: generación más tecnológica, con afición a las seriaciones matemáticas, a grupos de transformaciones geométricas en cuyas casillas se van introduciendo, ordenadamente, elementos nuevos, con el método y la paciencia de una computadora. Así expuso en Roma, en 1970, con otros artistas más o menos geométricos (Michavila, Orcajo, Yturralde, Iglesias, Barbadillo), más o menos *pop* (Anzo, Celis), en compañía del teórico de la *Nueva generación,* J. A. Aguirre, bajo la etiqueta de *Situazioni'70.* El crítico L. Marziano señalaba en algunos de ellos, como Teixidor, el rigor de la composición modular.

Pero no tardó en cansarse de esa geometría, algo seca, y fue a refugiarse en la sensibilidad de la llamada *pintura-pintura,* en la cual el artista busca la pureza de una tonalidad casi uniforme, extendida sobre el lienzo o soporte con técnica aplicada y temblorosa. Todo lo que era frialdad objetiva en la etapa geométrica, se convierte en expresividad sensible en esta etapa más reciente, a la que pertenece *Pintura rosa y naranja,* compuesto de dos cuadrados exactamente iguales, colocados uno junto a otro, como las páginas de un libro abierto. Un par de líneas verticales, delicadas, nada cortantes, que no se deciden ni siquiera a separar del todo las zonas marginales que delimitan, más pálidas que las zonas centrales, son la única geometría en esta obra, sucinta y sutil. Las dos partes centrales y contiguas están pintadas en tonos sonrosados, comenzando de forma casi uniforme por la parte superior y dejando en la inferior (en especial en la hoja derecha) zonas apenas cubiertas, por las que escurren los goterones de pintura rosa, para acentuar la ligereza. Este a modo de descuido voluntario tiene poco que ver con el enérgico *dripping* de la escuela de Nueva York; más bien parece acentuar la discreción, la amable indecisión, la no geometría, el aspecto manual e imperfecto de la obra, su humanidad. Del mismo modo, los japoneses más refinados, emplean en la *ceremonia del té* cacharros con algún ligerísimo defecto, que es su mérito mayor: la perfección es sólo de los dioses. De esta manera, la evolución de Jorge Teixidor demuestra lo inútil de distinguir en la pintura dos grupos —figurativo y abstracto—, ni siquiera abstracto geométrico y abstracto lírico. Este lírico tránsfuga del geometrismo ha conservado algo de su esqueleto, aunque suprima su rigor.

Delgado, Gerardo
Olivares (Sevilla), 1942

De la *Nueva generación,* como Teixidor, el sevillano Gerardo Delgado va a pasar también de la modulación geométrica a una sensible pintura-pintura. Pero antes ha terminado sus estudios de Arquitectura (en 1967) mientras, paralelamente, iba pintando, pasando de una figuración de tipo expresionista a un arte bidimensional, basado en la armonía de formas y colores, primarios y lisos. A partir de 1969 interviene en el Seminario del Centro de Cálculo de la Universidad Complutense de Madrid para generación automática de formas computables. En 1971 expone los productos de esta investigación en la Sala Santa Catalina, del Ateneo de Madrid, en unión de Sempere, Yturralde, Soledad Sevilla, Salamanca, Alexanco, Perales, el escultor y músico Lugán, Abel Martín, Manuel Quejido, Javier Seguí y Tomás García. Sus composiciones parten de un módulo curvilíneo, que sirve de base para *collages* de cartulinas de colores complementarios o contrastados. Hay en esa búsqueda, abierta y no totalmente sumisa a la electrónica, un resto de ansia de libertad creadora, perceptible también en los prismas de sección triangular, colgantes y reflectantes, que expone con el grupo *Nueve pintores de Sevilla,* en 1972.

Ver págs. 31 y 33

Más adelante, con mayor ímpetu que otros miembros de esos grupos juveniles (que tratan de mostrar su diferencia generacional con las pasadas «vanguardias» de *Dau al Set* y de *El Paso),* pero con el mismo anhelo de liberación de la sensibilidad, evoluciona hacia una *pintura-pintura,* en la que un supuesto geométrico (en el caso ahora comentado, el *tríptico,* esto es, el cuadro dividido en tres rectángulos verticales exactamente iguales) se presta a una pintura abstracta llena de sencillez y de ternura, de color y hasta de factura. No es acaso inútil recordar aquí el ejemplo que para esta generación han constituído pintores como Mark Rothko o Jaspers Johns, incluso Sam Francis, en un regreso a una pintura considerada como un placer para la vista y como un medio de resonancia espiritual, sin agresividad ni improvisación, después del brutalismo del primer *Action Painting.* El *Triple colgado* de Gerardo Delgado es como una delicada bandera, levemente maculada en su parte central con una mancha como de humedad, y en la lateral izquierda, con un esfumado negruzco. Esas irregularidades y el modo, muy aparente, de ejercicio manual con que la pintura está extendida, en ligeras transparencias, acentúan la vuelta a lo sensible, casi pudiera decirse *bonnardiano* o *morandiano,* de esta generación, antes tecnológica. En obras posteriores, Delgado abandona incluso esa alusión geométrica que es el tríptico.

Ver pág. 72

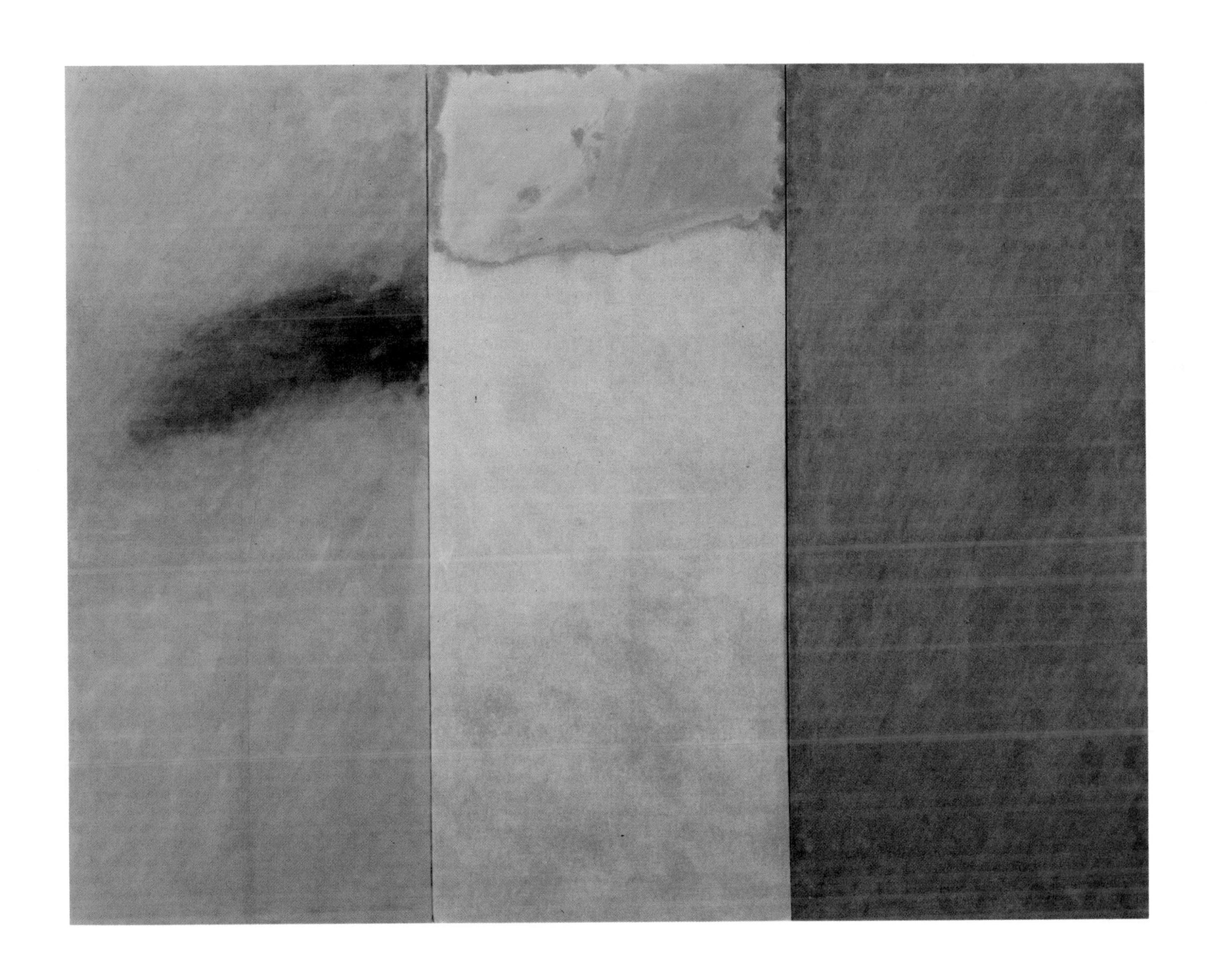

TRIPLE COLGADO, 1978
Técnica mixta sobre madera
191 × 247 cm.

PROYECTOS PARA UN PAISAJE, 1976
Litografías sobre un texto de José Ayllón
56 × 76 cm.

Hernández Pijuán, Joan
Barcelona, 1931

Estas litografías en color de Hernández Pijuán, estampadas por *Grupo Quince,* de Madrid, tienen el aspecto superficialmente científico, casi industrial, de los gráficos de delineante. Sobre esa falsilla, Pijuán, con su personal manera, pone directamente el color en rayitas o pinceladas oblicuas y paralelas, como un Paul Cézanne que, de repente, se hubiera cerciorado de que trabajaba en un Banco.

Junto a la búsqueda puramente plástica, perceptible en la elección de los tonos tierra-verdosos que cubren irregularmente la plana, hay una intención posiblemente irónica, a la que parece responder el breve texto de José Ayllón, titulado *Carta a Joan Hernández Pijuán:* una carta cuyo anónimo autor sería el paisaje mismo. En esas líneas leemos las quejas del paisaje ante su interpretación por el niño, que comienza por pintarrajear hasta, para concluir su dibujo, destruir; niño que, al crecer, se hace respetuoso y trivial, para caer en un concepto absoluto y estereotipado. Con su primer amor descubre lo que el paisaje tiene de más intenso y cercano, la hierba, el árbol. Pero cuando sea ya un hombre maduro, no vacilará en explotar ese paisaje, para llorarlo de viejo. *Y ahora, casi al final de mi vida, me cuadriculas las nubes, los campos, como si fuera el plano de una casa... ¿Qué intentabas al despojarme de todos mis atributos? Ya no podrán creer en mí. Adiós.* No cabe comentario más desengañado a estas láminas, a la vez secas y sensibles, en esta gran carpeta.

OBRAS GENERALES

AGUILERA CERNI, V.: *Panorama del arte nuevo español.* Madrid, 1966.
AGUILERA CERNI, V.: *Iniciación al arte español de la postguerra.* Barcelona, 1970.
AGUILERA CERNI, V.: *Artistas españoles contemporáneos; la postguerra. Documentos y testimonios.* Madrid, 1975.
AGUIRRE, J. A.: *Arte último: La «Nueva generación» en la escena española.* Madrid, 1969.
AREÁN, C.: *Veinte años de pintura de vanguardia en España.* Madrid, 1961.
AREÁN, C.: *Treinta años de arte español, 1943-1972.* Madrid, 1972.
BARROSO VILLAR, J.: *Grupos de pintura y grabado en España 1939-1969.* Oviedo, 1979.
BLAS, J. I. DE: *Pintores españoles contemporáneos.* Madrid, 1972.
BONET, A. Y OTROS: *El arte del franquismo.* Madrid, 1981.
BOZAL, V., LLORENS, T. Y OTROS: *España, vanguardia artística y realidad social, 1936-1976.* Barcelona, 1976.
BOZAL, V.: *Historia del arte en España.* Madrid, 1972.
CAMÓN AZNAR, J.: *XXV años de arte español.* Madrid, 1964.
CAMPOY, A. M.: *Diccionario crítico del arte español.* Madrid, 1973.
CASTRO ARINES, J. DE: *El arte abstracto.* Madrid, 1962.
CIRICI PELLICER, A.: *La estética del franquismo.* Barcelona, 1977.
CIRLOT, J. E.: *El arte otro.* Barcelona, 1957.
CONDE, M.: *Cuatro pintores.* Madrid, 1958.
CORRAL, M. Y RICE, E.: *Contemporary Spanish prints.* Madrid, 1979.
CHÁVARRI, R.: *La pintura española actual.* Madrid, 1973.
DYCKES, W.: *Contemporary Spanish Art.* Nueva York, 1975.
GÁLLEGO, J.: *Pintura contemporánea.* Madrid-Barcelona, 1971.
GAYA NUÑO, J. A.: *La pintura española del siglo XX.* Madrid, 1970.
LÓPEZ DE OSABA, P.: *Museo de Arte Abstracto de Cuenca. Grandes pinacotecas.* Madrid, 1980.
MARCHÁN, S.: *Del arte objetual al arte de concepto.* Madrid, 1974.
MARÍN MEDINA, J.: *La escultura española contemporánea.* Madrid, 1978.
MARÍN MEDINA, J. Y OTROS: *Dau al Set, treinta años después.* Madrid, 1979.
MORENO GALVÁN, J. M.: *La última vanguardia de la pintura española.* Madrid, 1969.
MORENO GALVÁN, J. M.: *Introducción a la pintura española actual.* Madrid, 1970.
RAMÍREZ, J. A.: *Medios de masas e historia del arte.* Madrid, 1976.
REVILLA, M. Y OTROS: *El Paso, veinte años después.* Granada, 1977.
SOLÁ-MORALES, I. Y OTROS: *Premios nacionales de artes plásticas, 1981.* Madrid, 1981.
UNIVERSIDAD COMPLUTENSE, CENTRO DE CÁLCULO: *Generación automática de formas plásticas.* Madrid, 1969.
UREÑA, G.: *Las vanguardias artísticas en la postguerra española, 1940-1959.* Madrid, 1982.
VIVES, F.: *Arte abstracto y arte figurativo.* Barcelona, 1975.
ZÓBEL, F.: *Museo de Arte Abstracto Español.* Madrid, 1966.

OBRAS MONOGRÁFICAS

AGUILERA CERNI, V.: *Saura*. Munich, 1962.

AGUILERA CERNI, V.: *Rueda*. Florencia, 1964.

AGUILERA CERNI, V.: *Canogar*. Madrid, 1972.

AGUILERA CERNI, V. Y OTROS: *Millares*. Madrid, 1975.

AMÓN, S.: *Lucio Muñoz*. Madrid, 1974.

AMÓN, S.: *La nueva panorámica de Antonio Lorenzo*. Madrid, 1976.

AMÓN, S. Y OTROS: *Cuaderno Palazuelo*. Madrid, 1976.

ARANGUREN, J. L.: *Lucio Muñoz*. Madrid, 1981.

AREÁN, C. A.: *Feito*. Madrid, 1975.

AYLLÓN, J.: *Millares*. Madrid, 1962.

AYLLÓN, J.: *Antonio Saura*. Barcelona, 1969.

AYLLÓN, J. Y OTROS: *Serrano*. Lisboa, 1980.

BERROCAL, M.: *Dossier Berrocal*. Verona, 1980.

BESTARD FORNIS, A.: *Lorenzo*. Zaragoza, 1981.

BLANCH, MARÍA T.: *Hernández Pijuán*. Barcelona, 1979.

BONET, J. M.: *Saura*. Sevilla, 1974.

BONET, J. M.: *Torner, las reglas del juego*. Madrid, 1975.

BONET, J. M. Y OTROS: *Madrid, Distrito Federal*. Madrid, 1980.

BONET J. M. Y OTROS: *José Guerrero*. Madrid, 1980.

BONET, J. M.: *Gerardo Delgado. (26 pintores, 13 críticos. Panorama de la joven pintura española)*. Barcelona, 1982.

CABALLERO BONALD, J.: *Cuixart*. Madrid, 1977.

CANNON, C.: *Serrano en la década del 60*. Madrid, 1969.

CALVO SERRALLER, F.: *Luis Gordillo*. Madrid,1980.

CALVO SERRALLER, F.: *Luis Gordillo*. Bilbao, 1981.

CALVO SERRALLER, F.: *Gustavo Torner. Lluvia dorada*. Madrid, 1983.

CARNERO, G.: *Teixidor*. Nueva York-Madrid, 1980.

CASTAÑO, A.: *Lucio Muñoz*. Madrid, 1977.

CELAYA, G.: *Los espacios de Chillida*. Barcelona, 1973.

CIRICI PELLICER, A.: *Tàpies, testimonio del silencio*. Barcelona, 1973.

CIRICI PELLICER, A.: *Saura*. Madrid, 1980.

CIRLOT, J. E.: *Significación de la pintura de Tàpies*. Barcelona, 1962.

CIRLOT, J. E.: *La pintura de Gustavo Torner*. Cuenca, 1962.

CIRLOT, J. E.: *Visión de Cuixart*. Barcelona, 1963.

CIRLOT, J. E. Y OTROS: *Cuixart*. Madrid, 1979.

CONDE, M.: *Rueda*. Madrid, 1962.

CORREDOR MATHEOS, J.: *Guinovart*. Barcelona, 1980.

CRISPOLTI, E. Y OTROS: *Canogar (25 años de pintura)*. Madrid, 1982.

CHEVALIER, D.: *Berrocal*. París, 1965.

DELGADO, G.: *Páginas de un cuaderno*. Madrid, 1978.

ESTEBAN, C.: *Chillida*. París, 1971.

ESTEBAN, C.: *Palazuelo*. París, 1980.

FERNÁNDEZ BRASSO, M.: *Josep Guinovart*. Madrid, 1974.

FERNÁNDEZ BRASSO, M.: *Conversaciones con Tàpies*. Madrid, 1981.

FIGUEROLA FERRETTI, L.: *Eduardo Chillida*. Madrid, 1976.

FIORI, P.: *Mignoni.* Madrid, 1982.
FRANÇA, J. A.: *Millares.* Barcelona, 1977.
FULLAONDO, D. Y OTROS: *Oteiza.* Madrid, 1967.
GALLARDO, J. L. Y PADORNO, M.: *Chirino.* Madrid, 1976.
GÁLLEGO, J.: *Pablo Serrano.* Madrid, 1971 y 1976.
GÁLLEGO, J. Y OTROS: *Palazuelo.* Madrid, 1973.
GÁLLEGO, J.: *Mignoni.* Madrid, 1976.
GÁLLEGO, J.: *Sempere.* Madrid, 1980.
GARCÍA TIZÓN, A.: *Canogar.* Madrid, 1973.
GIMFERRER, F.: *Tàpies y el espíritu catalán.* Barcelona, 1974.
GIRALT MIRACLE, D.: *Guinovart.* Barcelona, 1979.
GONZÁLEZ MARTÍN, J. P.: *Mompó.* Madrid, 1980.
HERNÁNDEZ, M.: *Zóbel.* Madrid, 1977.
HERNÁNDEZ PERERA, J.: *Manrique.* Madrid, 1978.
HIERRO, J.: *Farreras.* Madrid, 1976.
KRUSCHWITZ, H.: *Rueda.* Madrid, 1980.
LAÍN ENTRALGO, P.: *Lucio Muñoz.* Madrid, 1964.
LASSAIGNE, J.: *Manuel Rivera.* París, 1976.
LOGROÑO, M.: *Manuel Rivera, 1956-1981.* Madrid, 1981.
LORENZO, A.: *Zóbel.* Madrid, 1963.
LÉVÊQUE, J. J.: *Feito: une peinture tauromachique.* París, 1971.
MANRIQUE, C.: *Lanzarote.* Stuttgart-Zurich, 1980.
MANRIQUE, C.: *Mignoni.* Zaragoza, 1982.
MARCHÁN, S. Y GORDILLO, L.: *Gordillo, 1958-1974.* Sevilla, 1974.
MARCHIORI, G.: *La sculpture de Berrocal.* Bruselas, 1973.
MELIÁ, J.: *Sempere.* Barcelona, 1976.
MILLARES, M.: *Escritos.* Madrid, 1975.
MOMPÓ, M. H.: *Mompó.* París-Madrid, 1966.
MOMPÓ, M. H.: *Mompó.* Madrid, 1977.
MOMPÓ, M. H.: *Mompó.* Madrid, 1978.
MORENO GALVÁN, J. M.: *Manolo Millares.* Barcelona, 1970.
OLMEDO, M. Y OTROS: *José Guerrero.* Granada, 1976.
PAZ, O.: *Chillida.* París-Barcelona, 1980.
PELAY OROZCO, M.: *Oteiza: su vida, su obra, su pensamiento, su palabra.* Bilbao, 1978.
PENROSE, R.: *Tàpies.* Barcelona, 1977.
PÉREZ MADERO, R.: *Zóbel. La serie blanca.* Madrid, 1978.
PÉREZ MINIK, D.: *Chirino.* Madrid, 1982.
PLEYNET, M. Y OTROS: *Guerrero.* Granada, 1981.
POPOVICI, C.: *Las pinturas metálicas de Rivera.* Madrid, 1958.
PRADOS DE LA PLAZA, F.: *Mompó.* Madrid, 1978.
RESTANY, P.: *Feito.* París, 1960.
RIVAS, F.: *En la pintura.* Madrid, 1977.
RIVAS, F.: *Campano.* Madrid, 1979.
RIVAS, F.: *Teixidor, la pintura ensimismada.* Barcelona, 1982.
RIVAS, F.: *Campano: a través del diluvio (26 pintores, 13 críticos. Panorama de la joven pintura española).* Barcelona, 1982.
SÁNCHEZ CAMARGO, M.: *Rueda.* Madrid, 1958.

SANTOS TORROELLA, R.: *Manuel Viola.* Madrid, 1965.
SANTOS TORROELLA, R. Y OTROS: *Hernández Pijuán.* Madrid, 1979.
SARDUY, S.: *Saura, portraits raisonnés.* París, 1981.
SCHMALENBACH, W.: *Chillida, dibujos, 1948-1974.* Barcelona, 1979.
SILIÓ, F.: *Sempere, obra gráfica.* Madrid, 1982.
TAFUR, J. L.: *Francisco Farreras.* Madrid, 1960.
TAPIÉ, M.: *Tàpies.* Milán, 1977.
TÀPIES, A.: *Memoria personal.* Barcelona, 1977.
TORNER, G.: *Torner.* Madrid, 1963.
TRAPIELLO, A.: *Sempere.* Madrid, 1977.
ULLÁN, J. M.: *Palazuelo.* Madrid, 1977.
ULLÁN, J. M.: *Zóbel. Acuarelas.* Madrid, 1978.
VASARELY, V.: *Sempere.* Madrid, 1961.
WESTERDAHL, E.: *Manrique.* Madrid, 1960.
WESTERDAHL, E.: *Serrano.* Barcelona, 1977.
WESTERDAHL, E.: *Martín Chirino.* Madrid, 1981.
ZÓBEL, F. Y TORNER, G.: *Torner.* Madrid, 1978.
ZÓBEL, F.: *Las orillas. Variaciones sobre un río.* Madrid, 1982.

Academia Española, Real: 27, 106, 126, 133, 144
Academia de España, de Roma: 72
Action Painting: 22, 33, 38, 40, **72,** 101, 151, 152
AGUIRRE, Juan Antonio: 151
ALBERS, Josef: 74, 86, 101
ALBERTI, León Bautista: 68, 104, 121
ALBERTI, Rafael: 103
ALECHINSKY, Pierre: 22, 59
ALEMÁN, Mateo: 114
ALEU, Marc: 65
ALEXANCO, José Luis: 152
ALONSO, Dámaso: 103
ANZO (José Iranzo): 151
APPEL, Karel: 22, 34
ARANGUREN, José Luis: 51
ARISTÓTELES: 104
Art: 47
Art Autre: 18, **25,** 30, 32, 33, 34, 45, 71, 80, 84, 86, 116
Art of this Century, Galería: 72
Arte Abstracto de Cuenca, Museo de: 7, 10, 11, 12, 28, 52, 88, 104, 122
Arte Contemporáneo de Alicante, Museo de: 118
Arte Contemporáneo de Madrid, Museo de: 60
Arte de Chicago, Instituto de: 72
Arte Povera: 30
Artistas de Hoy: 133
ASA AL-AMA: 45
Ateneo de Madrid: 133, 152
AYLLÓN, José: 34, 155

BARBADILLO, Manuel: 128, 151
BARDOT, Brigitte: 20, 22, 98
Bauhaus: 74, 101
Bellas Artes de Barcelona, Escuela de: 64, 130
Bellas Artes de Madrid, Escuela de: 24, 38, 90
Bellas Artes de París, Escuela de: 72
Bellas Artes de Sevilla, Escuela de: 147
Bellas Artes de Valencia, Escuela de: 42, 118, 151
BEN-AL-BAYYA: 45
BEN SUHAYD: 45
BERROCAL, Miguel: **135**
BLOC, André: 36, 130
BORROMINI, Francesco: 121
BOULLÉE, Etienne: 121
BRANCUSI, Constantin: 35
BRAQUE, Georges: 18, 25, 61, 112
BRETON, André: 64
BROSSA, Joan: 31, 75
BRUNELLESCHI, Filipo: 121
BUFFET, Bernard: 133
BUFFON, Georges L.: 27
BURRI, Alberto: 17, 34, 48

CALDER, Alexander: 95, 125
CAMÓN AZNAR, José: 51
CAMPANO, Migel Ángel: **137**
CANO, Alonso: 72
CANOGAR, Rafael: 33, **36,** 38
CARROLL, Lewis: 85
Casa de Velázquez, de Sevilla: 147
CELIS, Agustín: 151
CEZANNE, Paul: 155
CIRLOT, Juan Eduardo: 31, 32
Cobra: 22, 33, 38, 59
CONDE, Manuel: 34
CRISTÓBAL, Elvira: 133
CRISTÓBAL, Juan: 133
CUIXART, Modest: 31, **40,** 42, 65
CUVIER, Georges: 27

CHAPLIN, Charles: 98
CHAPLIN, Geraldine: 98
CHILLIDA, Eduardo: **14,** 15, 16, 24, **66, 125**
CHIRINO, Martín: 34, **82,** 83, 84

Dadá: 26, 64, 80
DARÍO, Rubén: 30
Dau al Set: 8, **31,** 34, 40, 152
DEGAS, Edgar: 142
DELGADO, Gerardo: **152**
DENIS, Maurice: 25, 127
DIEGO, Gerardo: 133
DIETTERLIN, Wendel: 121
DOMINGO MARQUÉS, Francisco: 43
DUBUFFET, Jean: 25, 32, 147
DUCHAMP, Marcel: 16, 20, 117

EL GRECO: 47, 98
El Paso: 8, 16, 22, **33,** 34, 36, 40, 48, 51, 60, 111, 146, 151, 152
ELIOT, T. S.: 58
ENSHU, Kobori: 121
Ermitage, Museo del: 77
Escultura al Aire Libre, Museo de: 82

FAHLSTRÖM, Oyvind: 64
FALLA, Manuel de: 103
FARRERAS, Francisco: 28, **62,** 63, 64
FAUTRIER, Jean: 32
FEITO, Luis: 28, **33,** 34, **54,** 55, **90, 128,** 129
FELIPE II: 48, 98
FERRÁNDIZ, Bernardo: 43
FONTANA, Lucio: 18, 130
FORTUNY, Mariano: 80
FRANCÉS, Juana: 34
FRANCIS, Sam: 152
FRENAUD, André: 66, 67

GABO, Naum: 32, 35, 80, 95, 105
GALDÓS, Benito Pérez: 50
GÁLLEGO, Julián: 12
GARCÍA, Tomás: 152
GARCÍA GÓMEZ, Emilio: 45
GARCÍA LORCA, Federico: 45, 106, 132
GARCÍA OCHOA, Luis: 114

GARGALLO, Pablo: 50
Gaspar, Sala: 74
Graham Foundation: 72
GAYA NUÑO, Juan Antonio: 51
GILIOLI, Emile: 36
GOETZ, Henri: 47
GÓNGORA Y ARGOTE, Luis de: 103
GONZÁLEZ, Julio: 142
GOÑI, Lorenzo: 114
GORDILLO, Luis: **146,** 147
GORKY, Arshyle: 72
GOYA, Francisco de: 93
GRIS, Juan: 25
GUERRERO, José: **72,** 74, **101,** 112, **126,** 127, 137
GUGGENHEIM, Peggy: 40, 72, 101
GUINOVART, Josep: **64,** 65

HEPWORTH, Bárbara: 125
HERBIN, Auguste: 128
HERNÁNDEZ PIJUÁN, Joan: **130, 155**
HERRERA, Juan de: 121
HOCH, Hannah: 48
HÖLZER, Max: 86

IGLESIAS, José María: 151
Insula: 114

JOHNS, Jasper: 152
JORDI (Jordi Mercadé): 65
JORN, Asger: 22
JOUFFROY, Jean Pierre: 64
Jóvenes Valores: 151
Juan March, Fundación: 7, 8, 10, 11, 12, 15, 47, 62, 74, 103, 104, 111, 128, 142, 147

KANDINSKY, Wassily: 144
KLEE, Paul: 32, 42, 96, 128, 144
KLINE, Franz: 91
KOONING, Willem de: 20, 101

LASSAIGNE, Jacques: 61
LAURENS, Henri: 25
LEONARDO da VINCI: 27, 68
LINDNER, Richard: 147
LÓPEZ DE OSABA, Pablo: 11
LORENZO, Antonio: **38,** 54, **79**
Louvre, Museo del: 80, 98
LUGÁN (Luis García Núñez): 152

MACHADO, Antonio: 51
Madrid, Universidad de: 14, 152
Maeght, Galería: 86
MAGRITTE, René: 28, 142
MANRIQUE, César: **71**
MARAÑÓN, Gregorio: 51
MARTÍN, Abel: 152
MARTÍNEZ, Jusepe: 101
MARTÍNEZ CUBELLS, Salvador: 42
MARTÍNEZ SIERRA, Gregorio: 132
MATISSE, Henri: 101, 142
MATHIEU, Georges: 54
MARZIANO, L.: 151
MEMLING, Hans: 80
MICHAVILA, Joaquín: 151
MIES van der Rohe, Ludwig: 112, 121
MIGNONI, Fernando: **132**
MIGUEL ÁNGEL: 15
MILLARES, Manuel: **16,** 17, 18, 33, **48,** 50, **93, 111**
Minimal Art: 30
MIRÓ, Joan: 72
MODIGLIANI, Amedeo: 142
MOEBIUS, August F.: 56
MOHOLY-NAGY, Laszlo: 101
MOMPÓ, Manuel H.: **42, 60,** 61, **96, 144**
MONET, Claude: 18
MOORE, Henry: 125
MOTHERWELL, Robert: 91
MOZART, W. A.: 128
MUÑOZ, Lucio: **24,** 25, 26, **80**
MURILLO, Bartolomé E.: 77
MUXART, Jaume: 65

NEVILLE, Edgar: 132
NEWMANN, Barnett: 74
Nueva Generación: 146, 151, 152
Nueva York, Escuela de: 34, 137, 151
Nueve Pintores de Sevilla: 152
Nuevo Realismo: 64

Objetismo: 117
Op Art: 84, 86, 106, 128, 137
ORCAJO, Ángel: 128, 151
OTEIZA, Jorge de: **35,** 36

PACCIOLI, Luca: 28, 104, 112, 121
PACHECO, Francisco: 47
PAGANINI, Nicolo: 106
PALAZUELO, Pablo: **23,** 24, **86, 109, 142**

PALLADIO, Andrea: 68, 121
PANOFSKY, Erwin: 104
PELAYO, Orlando: 114
PERALES, José Luis Gómez: 128
PERALES, Tomás: 152
PEVSNER, Antoine: 32, 35, 80, 95, 105
PICASSO, Pablo: 25, 26, 47, 61, 103, 135, 142
PINAZO, Ignacio: 42, 140
POE, Edgar A.: 82
POLLOCK, Jackson: 22, 34, 40, 101
PONÇ, Joan: 31, 40
Pop Art: 64, 74, 147
PORTERA, Alberto: 51
Prado, Museo del: 28, 60, 77, 93, 98
P. R. B. (Pre-Raphaelite Brotherhood): 32
PUIG, Arnau: 31

QUEJIDO, Manuel: 152
QUEVEDO, Francisco de: 114
Quince, Grupo: 79, 155
QUIRÓS, Antonio: 114

RAUSCHENBERG, Robert: 66
Recherche Visuelle, Groupe de: 118
REMBRANDT VAN RIJN: 26, 80
RENE, Denise: 118
RENOIR, Auguste: 142
RIBERA, José de (El Españoleto): 77, 93, 109
RIVERA, Manuel: 33, **44,** 45, **84,** 85, **106**
RIVIÈRE, Yves: 114
ROBERT, Hubert: 80
RODIN, Auguste: 15
RODRÍGUEZ ACOSTA, José María: 72
ROTHKO, Mark: 58, 74, 86, 152
RUEDA, Gerardo: 28, **52,** 53, 66, **88,** 104, **112, 139**

SAETTI, Bruno: 60
SALAMANCA, Enrique: 152
SAURA, Antonio: **20,** 22, 33, 38, 50, **58,** 59, 60, **98,** 99, **114**
SAURA, Carlos: 98
SCHÖFFER, Nicolás: 95
SCHWITERS, Kurt: 16, 17, 26, 48, 65
SEGAL, George: 38
SEGUÍ, Javier: 152
SEMPERE, Eusebio: **18,** 19, 60, 84, **103, 118, 140,** 141, 152

SERAL Y CASAS, Tomás: 48
SERT, Josep María: 40
SERRANO, Pablo: 34, **50,** 52, **94,** 95
SEVILLA, Soledad: 152
SOROLLA, Joaquín: 42, 140

TÀPIES, Antoni: **31,** 32, 40, **56,** 58, 65, **74,** 75, **116,** 117
Taüll, Grupo: 64
TEIXIDOR, Jorge: **151,** 152
THARRATS, Joan Josep: 31, 65
TOBEY, Mark: 34
TORNER, Gustavo: 12, **28,** 30, 52, **77,** 88, **104, 121**
TORRES DE VILLARROEL, Diego: 114
TURRIANO, Juanelo: 135

UCCELLO, Paolo: 104
UNAMUNO, Miguel de: 48, 50
URRABIETA VIERGE, Daniel: 114

VALDÉS LEAL, Juan de: 50
VALERY, Paul: 117
Vallecas, Escuela de: 17
VALLE INCLÁN, Ramón del: 132
VAN EYCK, Hubrecht: 130
VAN EYCK, Jan: 80, 130
VAN GOGH, Vincent: 26
VASARELY, Víctor: 84, 118, 128
VELÁZQUEZ, Diego: 47, 58
VERDUSSEN, Vda. de H.: 114
VIOLA, Manuel: 34, **47,** 54

WOLS, (Wolfgang Schultz): 34
WOUTERS, Rik: 142

YTURRALDE, José María: 128, 151, 152

Zen: 28, 62, 122
ZÓBEL, Fernando: 7, 12, **27,** 28, 30, 52, 60, **68,** 69, 88, 104, 111, **122, 148**